Flor de leyendas

Parua sunt haec;
sed parua ista non contemnendo
maiores uestri maximam hanc rem fecerunt.

[Pequeñas son estas cosas;
pero no despreciando las pequeñas,
vuestros antepasados hicieron la más grande].

(TITO LIVIO, *Ab urbe condita*, VI,41,8)

Dirección de colección:
Ángel Basanta

Flor de leyendas

Alejandro Casona

Edición, introducción, notas
y orientaciones para el estudio de la obra:
José Manuel Cabrales

Ilustración:
José María Ponce

© Herederos de Alejandro Casona, 2002
© De la introducción y apéndice:
José Manuel Cabrales, 2002
© De la ilustración: Jose María Ponce, 2002
© De esta edición: Grupo Anaya, S. A., 2002
Juan Ignacio Luca de Tena, 15. 28027 Madrid
www.anayainfantilyjuvenil.com
e-mail: anayainfantilyjuvenil@anaya.es

Diseño y cubierta: aderal tres

1.ª edición, noviembre 2002
17.ª edición, mayo 2019

ISBN: 978-84-667-1680-2
Depósito legal: NA-2051-2011
Impreso en España - Printed in Spain

Índice

ORIENTACIONES PARA EL ESTUDIO DE LA OBRA

Introducción

A mis padres
J. M. CABRALES

LA ÉPOCA: ESPAÑA EN LA PRIMERA MITAD DEL SIGLO XX

La vida del dramaturgo Alejandro Casona (Besullo, Asturias, 1903-Madrid, 1965) transcurrió en medio de las fuertes convulsiones políticas y sociales que afectaron a España en la primera mitad del siglo XX. Podemos establecer dos períodos principales, cuyos acontecimientos más importantes señalamos a continuación; antes conviene recordar que tras el llamado «Desastre de 1898», que supuso la pérdida de las colonias de Cuba, Filipinas y Puerto Rico, poco había cambiado en el panorama político, marcado por la alternancia pacífica en el poder de los partidos liberal y conservador, bajo la monarquía de Alfonso XIII.

Del cambio de siglo a la Guerra Civil (1898-1939)

—1909: Se inicia una larga y costosa guerra en Marruecos. En Barcelona se convoca una huelga general y se producen los disturbios que recibirán el nombre de Semana Trágica.

Convulsiones políticas y sociales

—1917: Huelga general revolucionaria contra el sistema de alternancia pactada de los dos principales partidos en el poder. Entra en crisis el sistema de la Restauración.

—1921: La sangrienta derrota de las tropas españolas ante los rebeldes marroquíes en Annual sume en el descrédito al ejército y la monarquía.

—1923: El general Miguel Primo de Rivera asume el poder con el consentimiento de Alfonso XIII. Se inicia una dictadura blanda (1923-1930) que en 1925 logra poner fin a la guerra de Marruecos.

—1931: Proclamación de la República el día 13 de abril. Alfonso XIII y su familia parten voluntariamente hacia el exilio.

—1934: Las tensiones sociales y los enfrentamientos latentes entre izquierdas y derechas desembocan en el levantamiento de los mineros asturianos, sofocado por el ejército en un anticipo de lo que sería la Guerra Civil.

—1936-1939: El 18 de julio de 1936 el general Franco se subleva contra la República; se inicia así una larga guerra de desgaste que dura tres años, a la par que sirve de ensayo general a la Segunda Guerra Mundial, que comenzó el 1 de septiembre de 1939 con la invasión de Polonia por las tropas alemanas.

La Era de Franco (1939-1975)

España durante el franquismo Al término de la Guerra Civil se instauró en España un gobierno personal de carácter autoritario presidido por el general Francisco Franco, jefe indiscutido del bando que triunfó en la contienda. El régimen de Franco se prolongará hasta 1975; a largo de sus cuatro décadas de duración se suceden varias etapas que tendrán claro reflejo en el desarrollo de la literatura española:

1) Reconstrucción nacional (1939-1942). España se acerca a Alemania e Italia en los primeros años de la Segunda Guerra Mundial. La literatura sigue una *tendencia escapista* evitando en lo posible referencias al reciente enfrentamiento fratricida.

2) Aislamiento internacional (1943-1952). Tras la derrota de sus antiguos aliados, el régimen de Franco sufre un aislamiento por parte de las potencias vencedoras. España queda expulsada de las Naciones Unidas y los embajadores se retiran de Madrid. En la literatura se abre un período de *reflexión existencial,* marcado por la angustia del escritor ante el cúmulo de desgracias acaecidas en España y en el mundo.

3) Apertura al exterior (1953-1965). Mientras en el mundo se va imponiendo la «guerra fría» entre capita-

El gobierno de la
República nombró
a Alejandro
Casona director
del grupo de teatro
de las llamadas
«Misiones
Pedagógicas»,
cuyo objetivo era
representar por los
pueblos de España
piezas clásicas y
del teatro popular.
Celebración en
Madrid de la
Proclamación
de la II República.

lismo y comunismo, España recupera posiciones en la escena internacional; en 1953 se firman los acuerdos bilaterales con los Estados Unidos y 1955 marca el ingreso de España en la ONU. Sin embargo en el ámbito literario los años cincuenta están presididos por el *realismo social,* que consideraba la literatura como un instrumento para denunciar las injusticias y cambiar la sociedad.

4) Desarrollo económico y modernización (1966-1975). Los años sesenta supusieron el despegue económico de España y la superación del aislamiento internacional, merced al creciente número de turistas que contribuyen a modernizar las costumbres nacionales. En el ámbito político Franco conserva todo el poder, si bien en 1966 somete a referéndum la Ley Orgánica del Estado por la que se nombra sucesor al Príncipe Juan Carlos con el título de Rey. Los escritores tienen la oportunidad de conocer las nuevas tendencias estéticas originadas fuera de nuestras fronteras, lo que se traduce en un *afán de experimentación* que, con ciertos excesos llega hasta 1975.

Consecuencias
del franquismo en
el ámbito literario
El desenlace de la Guerra Civil y la posterior consolidación del Régimen de Franco tuvieron además tres consecuencias que incidieron de manera notable en el desarrollo de los distintos géneros literarios:

a) *Ruptura* con las tendencias literarias previas, que habían situado a las letras españolas en una verdadera Edad de Plata.

b) *Exilio* de buena parte de los intelectuales, que constituirán durante décadas lo que se ha llamado la «España peregrina». Ello obliga a considerar durante estos años dos literaturas españolas: la del interior y la del exilio, que contó con nombres de la relevancia de Juan Ramón Jiménez, Ortega y Gasset, Ramón Gómez de la Serna, Ramón J. Sender, Alejandro Casona y varios de los poetas del 27.

c) La actuación dentro del territorio nacional de una activa *censura,* a través de la cual el Régimen procuraba evitar que en las obras literarias aparecieran críticas al sistema político imperante, alusiones despectivas al catolicismo y escenas o situaciones que atentaran contra «la moral y las buenas costumbres». La presencia de la censura afectó de manera especial al género dramático.

LITERATURA:
PRINCIPALES MOVIMIENTOS

Para situar adecuadamente la fecunda personalidad literaria de Alejandro Casona es preciso recordar algunos movimientos que sirvieron de punto de partida o se desarrollaron en paralelo a su creación dramática.

El Modernismo. La renovación de la prosa

El Modernismo entró en España de la mano del poeta nicaragüense Rubén Darío (1867-1916), cuyo libro *Azul* (1888) supuso para la poesía española el comienzo de una renovación que muchos equiparan a la que Garcilaso de la Vega llevó a cabo en el siglo XVI, al introducir la poética renacentista. En las dos décadas siguientes Darío se convierte en el más influyente escritor de las letras hispánicas. El movimiento —cuyo objetivo central sería la búsqueda de la belleza junto con la evasión de la realidad cotidiana— supone una absoluta renovación de la expresión literaria, al plantear conflictos alejados de la realidad inmediata expresados con un lenguaje por completo diferente al habla común, puesto que la palabra se convierte en el principal instrumento para crear belleza.

La renovación de la prosa a partir del Modernismo se manifiesta de forma especial en el estilo de cuatro autores a los que cabe considerar como antecedentes de la escritura de Alejandro Casona; son estos:

- José Martínez Ruiz, «Azorín» (1873-1967). Aunque escribió novelas e innovadoras obras dramáticas, su genialidad radica en la creación de un estilo de la prosa que rompió con el párrafo amplio y la retórica engola-

El Modernismo

Azorín

da de la narrativa decimonónica. Se trata de un lenguaje caracterizado por la concisión y la brevedad, en el
que destaca un vocabulario muy preciso; verbos copu-
lativos y de estado, que revelan desinterés por la acción
en favor del detalle; gusto por la descripción impresio-
nista, producto de la acumulación de detalles parciales
significativos; uso de la primera persona del plural y del
presente para implicar al lector y dotar al texto de una
dimensión intemporal.

En cuanto a los temas, su conocimiento de los autores clásicos le llevó a escribir una serie de libros (*Lecturas españolas, Al margen de los clásicos*) en los que dia-
loga con ellos situándose en su tiempo y su lugar,
consiguiendo de este modo revitalizar nuestra historia
literaria. Memorables resultan las obras que recogen sus
recorridos por la España interior (*Castilla, La ruta de don
Quijote*), en algunos de los cuales hace su aparición la
protesta social (*Los pueblos*).

Juan Ramón   • Juan Ramón Jiménez (1881-1958) representa la
Jiménez   cima de la poesía contemporánea en lengua española,
y uno de los nombres fundamentales de la lírica universal del siglo XX, como se reconoció en 1956 con la con-
cesión de Premio Nobel de Literatura. A él corresponde
la invención de la *poesía pura* o *desnuda*, a la que podría definirse como el deseo de expresar exactamente lo
sentido, de forma sencilla, breve, prescindiendo de la
adjetivación y ornamentación inútiles.

Juan Ramón fue también un excepcional prosista,
como lo atestigua su título más famoso, *Platero y yo*
(1907-1916) —libro de lectura en las escuelas durante
muchos años—, o las agudísimas semblanzas de diversos personajes reunidas en *Españoles de tres mundos*
(1942). En el primero de ellos el autor evoca su infancia
en el pueblo andaluz de Moguer en compañía de un
burrito blanco que le sirve de confidente. asimismo en
Edad de Oro, subtitulada *Historias de niños*, el autor recoge cuentos infantiles, imaginaciones o recuerdos de

El madrileño Ramón Gómez de la Serna (1888-1963), con su original personalidad, fue el artífice de una radical renovación narrativa. A las tertulias que presidía en el Café Pombo de Madrid acudió en su juventud Casona. Ramón Gómez de la Serna, retrato de Rivera.

sus primeros años con un estilo conmovedor y pleno de lirismo, definido por él mismo con estas palabras:

«El verso (o la prosa) no deben preocuparse de su extensión, largo o ancho, sino de su intensión, dentro, centro. Cada verso (como cada prosa) deben ser cerebro, corazón apretado y suficiente, semilla de pensamiento o sentimiento».

• El alicantino Gabriel Miró (1879-1930) ha sido denominado gran poeta de la prosa, por la riqueza plástica y el lirismo intenso que presiden sus novelas, en las que la descripción supera siempre a la narración, lo es-

Gabriel Miró

tático predomina sobre lo dinámico, diálogo y acción
escasean y el tiempo parece haberse detenido. La cima
de su arte se alcanza en *Nuestro padre san Daniel* y *El
obispo leproso*, novelas complementarias, en las que se
desarrolla el conflicto entre la libertad y las inevitables
convenciones sociales, a través de la historia de un de-
safortunado matrimonio de conveniencias en la rígida
ciudad espiscopal de Oleza (trasunto de Orihuela) con
la guerra carlista al fondo.

Ramón Gómez
de la Serna

• Pero la más radical renovación narrativa se produce de la mano del madrileño Ramón Gómez de la Serna *(*1888-1963), escritor de prodigiosa fecundidad, que
marcó con su original personalidad todos los géneros literarios; a las tertulias que presidía en el Café Pombo de
Madrid asistió en su juventud Casona acompañado de
otros miembros de su generación. Dentro de la novela
Ramón gusta de argumentos folletinescos, cercanos al
costumbrismo, llenos de un humor absurdo e irracional,
expresado todo ello con un lenguaje libre, cargado de
originalísimas asociaciones semánticas —las famosas
greguerías, inventadas por él— que a menudo consiguen que el lector casi llegue a olvidar el argumento de
la obra.

Como muestra de la peculiar manera que Ramón
Gómez de la Serna tenía de escribir novelas, he aquí un
fragmento de *El secreto del Acueducto* (1922), historia
de un viejo obsesionado por el impresionante monumento segoviano, que le sugiere pensamientos como estos característicos ejemplos de greguerías:

«Es como un monumento al agua que eleva su cáliz
de agua al cielo.

A lo lejos, la sierra, que es alta y poderosa, le mira
asombrada, porque él es esbelto, y como hombre no tiene faldas, las faldas tendidas de las laderas que tienen
las altas montañas.

Entre piedra y piedra, en la uña de sus junturas está
el polvo de los siglos.

Sus piedras de poros abiertos y como impregnados,
son las esponjas del tiempo.
El cielo se esmalta con azul de vidrieras de catedral
al pegarse a sus ventanas.
La estabilidad del espíritu castellano mantiene el
gran monumento. Si no fuese por este gran equilibrio en
que entró Castilla después de la hora de su grandeza, se
hubiera desgajado el monumento».

La Institución Libre de Enseñanza

La Institución Libre de Enseñanza fue consecuencia de
las ideas pedagógicas del catedrático y ensayista Francisco Giner de los Ríos (1839-1915). Fundada en 1875,
a través de sus actividades pudo llevar a la práctica Giner actividades docentes entonces insólitas, como la
convivencia de chicos y chicas en las aulas, la libertad
religiosa, el contacto con la naturaleza, el ideal de la to-
lerancia, la relación franca y cordial entre profesor y
alumno o la recuperación de las tradiciones populares;
en esta última cuestión se encuentra el germen del teatro de las Misiones Pedagógicas, en las que participó Casona, además de esa reivindicación de las antiguas literaturas de tradición oral presentes en *Flor de Leyendas*.

Francisco Giner de los Ríos

El teatro poético

Llamado también teatro histórico-modernista, el teatro
poético supuso la irrupción del modernismo en la escena. Se caracteriza por el uso de versos variados, un lenguaje sonoro y musical, ambientes exóticos (la Edad
Media, Hispanoamérica, la Granada musulmana), personajes de una pieza con ademanes retóricos y efectis-
tas, y una escenografía que trata de reproducir fielmen-
te los ambientes históricos en los que se desarrolla la
acción. Sus autores —en especial Eduardo Marquina y
Francisco Villaespesa, ambos de ideas conservadoras—
miran con nostalgia el pasado imperial en obras prota-

El teatro poético

gonizadas por el Cid Campeador (*Las hijas del Cid*), los Reyes Católicos, el Gran Capitán o los tercios de Flandes (*En Flandes se ha puesto el sol*). Pero Marquina escribió asimismo una serie de obras de ambientación rural y notable aliento lírico (como *La ermita, la fuente y el río*) que influirán en algunas de las piezas dramáticas de García Lorca y de Alejandro Casona ubicadas en el medio rural.

Los escritores del exilio

El exilio Entre los escritores del exilio se sitúa la segunda parte de la producción teatral de Casona. En su nómina se cuentan algunos de los grandes nombres de la literatura española del siglo xx, como Juan Ramón Jiménez, Ramón J. Sender o Luis Cernuda. Conviene sin embargo tener en cuenta que entre estos autores los vínculos que existen son fundamentalmente ideológicos: todos ellos están contra la dictadura, y en sus obras aparecen algunos temas recurrentes: el recuerdo de la España anterior a 1936, la añoranza de los amigos desaparecidos, el deseo de regresar, reflexiones acerca de la guerra, sus causas y sus consecuencias, descripción de los nuevos ambientes en los que viven o de las circunstancias del destierro.

EL AUTOR Y LA OBRA

Alejandro Casona y el teatro

Alejandro Casona, cuyo nombre originario fue Alejandro Rodríguez Álvarez, figura entre los más importantes dramaturgos españoles contemporáneos, al lado de Valle-Inclán, Benavente, García Lorca y Buero Vallejo. Nacido en la aldea asturiana de Besullo en 1903, mostró desde joven una decidida vocación pedagógica, que le llevó a estudiar Magisterio, encargarse de una escuela en un valle del Pirineo leridano y ocupar plaza como Inspector de Enseñanza en Madrid. Escribió teatro desde muy joven, y fue galardonado en 1933 con el Premio Lope de Vega por *La sirena varada*, que representó su primer estreno triunfal; poco después obtuvo otro éxito clamoroso con *Nuestra Natacha* (1936).

Al estallar la Guerra Civil viaja a México como director artístico de la importante compañía dramática Díaz de Artigas-Collado; en 1939 se establece en Buenos Aires al tiempo que continúa su incesante creación teatral siempre respaldada por un público entusiasta; entre sus títulos más alabados hay que mencionar *La dama del alba* (1944), *La barca sin pescador* (1945), *Los árboles mueren de pie* (1949) y *La casa de los siete balcones* (1956). A partir de 1956 se acentúa su nostalgia de España, que culmina en abril de 1962 con su regreso definitivo a Madrid, donde fijará su residencia. *Exilio en México y Buenos Aires*

Es entonces cuando Casona, apreciado internacionalmente, debe enfrentarse con el rechazo de algunos jóvenes críticos españoles que no perdonaban a la ilustre figura consagrada fuera de nuestras fronteras su alejamiento de la realidad española: su teatro no se ajustaba a los cánones del realismo social antes mencionado. Ello *Éxito internacional* desmoralizó bastante al autor, pese al apoyo incondicional de los espectadores; por eso quiso demostrar —en la que se convirtió en su última obra— cómo era capaz de adaptarse a la moda vigente; para ello se fijó en dos dramas del ciclo histórico de Buero Vallejo —*Un soñador para un pueblo* (1958) y *Las Meninas* (1960), ambas muy bien acogidas por el público— al escribir *El caballero de las espuelas de oro* (1964), recreación del enfrentamiento entre el genial escritor Francisco de Quevedo y el poder absoluto, representado por el conde-duque de Olivares, que acabará encerrándolo en una inhóspita prisión. En plena celebridad, Casona falleció de una dolencia cardiaca en septiembre de 1965.

Trayectoria literaria de Alejandro Casona

En la trayectoria literaria de Alejandro Casona hay que destacar tres vertientes esenciales, cuya presencia resulta evidente en *Flor de leyendas*:

Las Misiones Pedagógicas

• Vocación pedagógica. Manifiesta desde el comienzo de su carrera dramática: ya en su etapa como maestro en el pueblo leridano de Les fundó con los chicos de la escuela la compañía *El pájaro Pinto,* para la que escribió teatro infantil, adaptando tradiciones del valle de Arán. Luego el Gobierno de la República le nombró director del grupo de teatro de las Misiones Pedagógicas, cuya función era representar por los pueblos de España piezas clásicas y del teatro popular, al igual que haría García Lorca con los jóvenes universitarios de La Barraca. Para estas Misiones escribió Casona las dos primeras farsas reunidas en el *Retablo jovial,* editado en esta misma colección. Asimismo, en las «Palabras preliminares» a *Flor de leyendas* el autor confiesa de modo abierto la intención educativa que le llevo a escribir esta obra en los primeros años treinta.

Además, en varias de sus creaciones no sólo hay voluntad de enseñar a través de una especie de moraleja,

Alejandro Casona (1903-1965), pseudónimo de Alejandro Rodríguez Álvarez, está considerado uno de los más importantes dramaturgos españoles contemporáneos.

sino también reflexiones en torno a la educación. Es el caso de *Nuestra Natacha*, centrada en este personaje femenino que, en desacuerdo con la forma de tratar a los muchachos conflictivos en los reformatorios de la época, funda una especie de granja donde lleva a cabo una positiva labor de redención. En *La tercera palabra* se dramatiza la oposición naturaleza / sociedad a través de la relación entre Pablo (hombre primitivo e ingenuo) y Marta (maestra con ideas abiertas); la conjunción de los dos daría lugar a la personalidad ideal, identificada con el hijo que ambos van a tener.

• Adaptación de obras clásicas. De principio a fin de su carrera Casona se inspiró en conocidas obras maestras de la literatura universal, demostrando una particular habilidad para incorporar tanto el espíritu como sus rasgos de estilo. Lo comprobaremos con detalle al analizar *Flor de Leyendas*, pero es preciso mencionar ahora cómo su producción dramática se había iniciado en 1929 con *El crimen de Lord Arturo*, adaptación de un cuento de Oscar Wilde; poco después, aprovechó una novela de un autor hoy olvidado (Hernández Catá) para escribir *El misterio de María Celeste.*

El *Retablo jovial* reúne algunos de los mejores valores del teatro de Casona, en particular su amor por el teatro popular y su capacidad para adaptar textos clásicos. Se compone de cinco farsas breves: «Sancho Panza en la ínsula», «Entremés del mancebo que casó con mujer brava», «Farsa del cornudo apaleado», «Fablilla del secreto bien guardado» y «Farsa y justicia del Corregidor»; las dos primeras se habían estrenado ya en España antes de la Guerra Civil de 1936, puesto que el autor las escribió para figurar en el repertorio que las Misiones Pedagógicas representaban por los pueblos de las dos Castillas. Cada una de las piezas tiene un origen literario: «Sancho Panza en la ínsula» escenifica parte de lo narrado por Cervantes en los capítulos 45, 47 y 49 de la segunda parte del *Quijote*. El «Entremés del mancebo que casó con mujer brava» se basa en el «exemplo» 35 de *El conde Lucanor*, obra del infante don Juan Manuel. La «Farsa del cornudo apaleado» procede de una narración situada en la Jornada Séptima del *Decamerón* de Boccaccio. La «Fablilla del secreto bien guardado» procede de un cuento popular italiano; por último, «Farsa y justicia del Corregidor» tiene bastante que ver con la Patraña VI, incluida por Juan de Timoneda en *El Patrañuelo*, colección de relatos publicada en 1567.

Su profundo conocimiento del teatro clásico español se manifestó en afortunadas versiones de *El burlador de Sevilla*, de Tirso de Molina (1961); *Peribáñez y el co-*

Caballero conversando con una dama. Grabado de Pellicer para El Patrañuelo *de Juan de Timoneda (siglo xvi), obra que inspiró a Casona la «Farsa y justicia del Corregidor» del* Retablo jovial.

mendador de Ocaña, de Lope de Vega (1962); *La Celestina*, de Fernando de Rojas (1965); y *El sueño de una noche de verano*, de Shakespeare (1963). Con todo, su talento para aprovechar el legado clásico sobresale especialmente, además de en *Retablo jovial*, en *El caballero de las espuelas de oro*, porque en esta obra Casona incorpora con frecuencia textos del propio Quevedo, pasajes claramente identificables, como el célebre soneto «Cerrar podrá mis ojos...», o versos de la jácara «Relación que hace un jaque de sí y de otros», además de mezclar de forma habilísima textos de los *Sueños, La culta latiniparla, Aguja de navegar cultos* y otros con palabras de su propia invención. El resultado es una presencia escénica de Quevedo que rebosa verosimilitud y fuerza.

• Creación dramática original, marcada por dos rasgos presentes también en *Flor de leyendas*:

a) Equilibrada mezcla entre fantasía y realidad. Porque las obras más representativas de Casona escenifican la necesidad de que lo real y lo soñado o lo misterioso convivan en armonía. Este es el caso de *La sirena varada*, cuya acción tiene lugar en una isla en la que se refugian unos personajes para evitar la dureza y el sufrimiento de la vida cotidiana, aunque al final se darán cuenta de que solo en medio de esta podrán desarrollarse plenamente. *Prohibido suicidarse en primavera* tiene lugar en un sanatorio al que acuden quienes quieren tener una muerte hermosa, aunque la verdadera intención de su fundador es conseguir que los pretendidos suicidas se atrevan a asumir la verdad. En *La barca sin pescador* asistimos además a la presencia del diablo, el cual ofrece a un financiero arruinado la posibilidad de salvarse si consiente la muerte de un desconocido; este accede, salva su fortuna, pero no descansará hasta conocer a la familia del fallecido.

b) Uso de un lenguaje cargado de resonancias poéticas, que contrasta con la expresión realista predominante en el teatro de sus contemporáneos. Como afirma uno de sus editores a propósito de su obra maestra, *La dama del alba*: «Las metáforas y los símiles fluyen de labios de los personajes de extracción popular sin que disuenen lo más mínimo, pues se inscriben en un marco rural y se apoyan en fórmulas expresivas, como sentencias o frases proverbiales, muy próximas a la dicción del pueblo». Con esta pieza, estrenada en 1944, Casona llegó a la cumbre de su carrera dramática, al fundir con acierto supremo lenguaje poético, fantasía y realidad. Se trata de una bella historia de amor y de muerte ambientada en una aldea de su Asturias natal. A ese pueblecito llega una joven y misteriosa peregrina —la muerte— para visitar a una familia que trata de reponerse de la trágica desaparición de Angélica, que se fugó con otro hombre tras casarse con Martín. Cuando ella quiere volver al cabo de cuatro años, la Peregrina velará para que se mantenga la tranquilidad familiar disuadiendo a Angélica de que rompa de nuevo la paz que todos han alcanzado sin ella. El lenguaje, cargado de imágenes, recuerda a menudo las mejores creaciones del teatro de García Lorca, en tanto que la introducción de romances y leyendas cantados muestran la influencia de Lope de Vega y otros dramaturgos clásicos.

Presentación de *Flor de leyendas*

Con *Flor de leyendas* obtuvo Casona en 1932 su primer galardón literario de verdadera relevancia: el Premio Nacional de Literatura, otorgado por unanimidad a una obra en prosa de extraordinario interés, en la que reúne una serie de catorce leyendas y mitos recogidos con la intención de familiarizar a los niños con las diversas tradiciones europeas. La obra se editó en 1933 y desde entonces ha mantenido una presencia discreta pero constante en las aulas al igual que *Retablo jovial*, pues una y otro acercan al lector de forma natural y sencilla a la narrativa y el teatro tradicionales.

Premio Nacional de Literatura

La obra anuncia su propósito desde las «Palabras preliminares», en las que Casona manifiesta su intención de escribir un «Libro de lectura para niños», algo corriente en la pedagogía de la época como método para familiarizar a los escolares con la actividad lectora, dado que la literatura infantil y juvenil no había alcanzado entonces el poderoso desarrollo actual. A continuación —huyendo de la tentación localista— busca el autor inspiración en las fuentes literarias de los grandes ciclos temáticos de la epopeya universal. Al parecer el autor tenía intención de haber dedicado otro libro en exclusiva a leyendas de la tradición oral popular o folclórica, de las que tan rica era su tierra asturiana.

Las fuentes literarias

De este modo, las literaturas orientales están representadas por *Ramayana* y *Mahabarata*, además de una aproximación a *Las mil y una noches*. No podía faltar el mundo griego clásico, con los protagonistas de la *Ilíada*. La épica medieval aparece representada por los tres hé-

Casona recoge en
«La muerte del niño
Muni», un episodio de
Ramayana, epopeya
nacional de la India, que
narra las gestas del héroe
hindú Rama. Esta obra,
atribuida a Valmiki,
suele fecharse hacia el
siglo III a. C. Ilustración
de R. López Morello para
la edición de «Araluce».

roes más conocidos en las tradiciones española, francesa y germánica: el Cid partiendo al destierro, el desgraciado final de Roldán en Roncesvalles, y la historia de
Sigfrido en «Los nibelungos». Los libros de caballerías
aportan dos de sus más bellas leyendas: las de Tristán e
Iseo y la del valiente Lohengrin. Por último, las literaturas primitivas escandinavas se cubren con la figura de
Balder; en tanto que la dilatada lucha de los hombres de
las montañas suizas para preservar su libertad se centra
en el personaje de Guillermo Tell. Al comienzo de la
obra figura el texto quizá más original: la interpretación
personal que lleva a cabo Casona de la muerte y el nacimiento de Cristo.

CRITERIO DE ESTA EDICIÓN

Flor de leyendas fue concebida y compuesta por Alejandro Casona entre 1928 y 1932 con la intención de ofrecer a sus alumnos y a los jóvenes lectores en general la posibilidad de acercarse a las obras maestras de la literatura universal de inspiración popular. Al tratarse de obras sencillas, destinadas a un público amplio, no se encuentran pasajes oscuros ni grandes dificultades léxicas o de orden histórico-literario.

El carácter de esta colección, destinada a los alumnos de Educación Secundaria, es el lugar idóneo para leer y comentar estas joyas de la tradición popular que, no obstante, resultan muy útiles también para familiarizar a los estudiantes de Literatura Universal en el Bachillerato con títulos esenciales de las literaturas primitivas, estableciendo la nutrida serie de analogías que se aprecia en los orígenes de todas ellas. Se ha respetado íntegramente el bello tono poético utilizado por el autor para crear el adecuado marco de leyenda y fantasía, pero las expresiones inusuales se aclaran de forma sencilla en las notas léxicas situadas en los márgenes del texto. Las notas críticas o explicativas, colocadas a pie de página, tienen dos funciones principales: de un lado, poner de manifiesto las relaciones de cada pieza con los textos clásicos en los que se inspiró Casona; del otro, subrayar los elementos propiamente legendarios y populares de cada una de ellas, con la intención de facilitar la lectura en voz alta y el comentario en el aula.

Esta es la línea que predomina también en las *Orientaciones para el estudio de la obra*, donde se ha intentado que el alumno descubra los recursos utilizados por el autor para sintetizar el espíritu de obras antiguas y extensas en episodios novelescos plenos de intensidad y fuerza poética, o que perciba lo inventado por Casona en relación con los modelos precedentes. Al tratarse de catorce piezas, se plantean actividades sucesivas para cada una de ellas, si bien hemos dedicado atención preferente a las más relacionadas con la tradición literaria occidental. Para terminar se incluye un glosario de figuras literarias con ejemplos sacados de las mismas leyendas.

BIBLIOGRAFÍA SELECTA

La edición más difundida de esta obra, junto con *Vida de Francisco Pizarro*, se encuentra en la colección Austral (Espasa-Calpe, Madrid, 1991, séptima edición), con Introducción de M.ª Teresa García Álvarez y Modesto González Cobas. Quienes quieran conocer mejor la vida y la creación literaria de Alejandro Casona tienen a su disposición los libros siguientes:

CASONA, Alejandro: *La sirena varada. Los árboles mueren de pie.* Espasa-Calpe, Madrid, 1990. (En la introducción de Carmen Díaz Castañón se explican con claridad las claves de todo el teatro de Casona, con especial atención a su vertiente más poética, representada por estas dos obras).

ENTRAMBASAGUAS, Joaquín de: «El teatro de Alejandro Casona», *Clavileño,* n.º 4, julio-agosto, 1950, págs. 34-36. (Ofrece ideas útiles sobre la producción del primer Casona).

GARCÍA PADRINO, Jaime: *Libros y literatura para niños en la España contemporánea.* Col. «Biblioteca del Libro», Fundación Germán Sánchez Ruipérez, Madrid, 1992. (Libro clásico para recorrer el desarrollo de la literatura infantil en la España del siglo XX).

GURZA, Esperanza: *La realidad caleidoscópica de Alejandro Casona.* Instituto de Estudios Asturianos, Oviedo, 1968. (Los capítulos 2 y 3 analizan con detalle la relación entre realidad, fantasía e ilusión en el teatro de Casona).

PALACIO GROS, Adela: «Presencia de Asturias en la obra de Alejandro Casona». *Boletín del Instituto de Estudios Asturianos,* n.º 48, Oviedo, 1963, págs.155-201.

(Al hilo de la presencia de la tierra natal en sus obras, la autora repasa con detalle la biografía de Casona aportando noticias para interpretar numerosas escenas y situaciones).

RODRÍGUEZ RICHART, José Ramón: *Vida y teatro de Alejandro Casona*. Instituto de Estudios Asturianos, Oviedo, 1963. (El libro más completo sobre la creación dramática de Casona; en la editorial Cátedra este crítico ha preparado además una buena edición de *La dama del alba*, Madrid, 1985, sin duda la obra más alabada del autor).

RUIZ RAMÓN, Francisco: *Historia del teatro español. Siglo xx*. Cátedra, Madrid, 1975, 2ª ed. (Se trata del mejor estudio de conjunto sobre el teatro español contemporáneo. Dedica a Casona un amplio espacio en el que analiza con objetividad todas sus obras con sus virtudes y defectos).

SAINZ DE ROBLES, Federico Carlos: Prólogo a las *Obras Completas de Alejandro Casona*. Aguilar, México, 1954. (Admirador casi incondicional de la obra de Casona, Sainz de Robles continúa siendo una cita inexcusable para los que quieran acercarse a la obra del escritor asturiano; bastantes de sus comentarios siguen completamente vigentes).

SÁNCHEZ ROJAS, Antonio: «Bibliografía de Alejandro Casona». *Boletín del Instituto de Estudios Asturianos*, n.º 76, Oviedo, 1972, págs. 381-403. (Figuran todos los libros y artículos importantes publicados en los años en los que Casona era objeto de gran atención por parte de la crítica internacional).

Flor de leyendas

Palabras preliminares

D ENTRO DE LA DENOMINACIÓN GENÉRICA de *libro de lectura para niños*, a la que tantos y tan sostenibles criterios pueden responder, intentamos realizar aquí aquella de sus interpretaciones que la realidad escolar española nos presenta como más inmediatamente necesaria. Esto es: un libro de lecturas literarias, atento a la escala de intereses del niño, y guión de su educación y culturas estéticas[1].

Voces de máxima autoridad pedagógica han afirmado que el alma del niño es accesible a los grandes temas de la literatura universal. Pero cuando este acercamiento ha querido intentarse alguna vez, en los límites de un libro, el propósito ha ido a estrellarse contra cualquiera de los dos más visibles peligros que lo bordean: unas veces se ha intentado darle la alta literatura con absoluto respeto de la forma original, obligándose así, por razón de dimensiones, a una fragmentación esporádica que, sin desarrollar en plenitud ningún asunto, anula el interés del contenido. Y otras veces, contrariamente, el intento se ha limitado a *contar para los niños* las grandes fabulaciones literarias, desnudándolas de todas sus galas formales y reduciéndolas al frío relato de argumentos, sin vida ni paisaje, sin desarrollo literario adecuado y sin estilo.

Esporádica: Ocasional.

---

[1] Con estas palabras sitúa Casona con precisión *Flor de leyendas* en su subgénero histórico-literario: la vocación pedagógica del escritor asturiano, su profundo conocimiento de las literaturas clásicas populares y la brillantez de su estilo se unen para crear el libro de lectura ideal para los jóvenes. Recuérdese que a comienzos de los años treinta la literatura infantil y juvenil no ofrecía ni con mucho el riquísimo panorama actual.

Cabe, pues, un nuevo intento: el de síntesis literarias que conserven, con la trama de la fabulación, su
sentido y su esencia, el ritmo y tono del lenguaje, equi-
librando en estudiada medida la acción y el ambiente.
Sentado así el propósito, y siendo la belleza cima de
unión espiritual de razas, lenguas y pueblos, no hemos
visto, en un libro encaminado primordialmente a la
educación y cultura estéticas, razón alguna para con-

Acervo: Conjunto.   traernos al acervo de una literatura nacional, por varia
Frondosa: y frondosa que esta sea. Hemos preferido acoger, al
Abundante.   margen de toda preocupación nacionalista, los momentos más bellos de la literatura universal, de todas
las lejanías históricas y geográficas, allí donde hemos
creído que, tanto en su fondo como en su vestidura
oral, respondían en sus distintos grados a la escala de
intereses estéticos del niño.

Biogenética: Y de acuerdo con la ley biogenética, según la cual el
Referida al   desarrollo del alma infantil es una breve recapitulación
nacimiento y
desarrollo.   de la historia de la raza, hemos fijado nuestra selección
en los tres grandes ciclos de interés que se escalonan
sucesivamente en la historia espiritual de los pueblos:
1.º LO MARAVILLOSO. Ciclo primitivo de las cosmo-

Cosmogonías: gonías, la magia y el mito, que engendra las historias
Teorías sobre   portentosas de hombres y dioses, gigantes y enanos,
el origen del
universo.   milagros y encantamientos. Recorremos en él las etapas
más bellas de las literaturas maravillosas: la selva sagrada del *Ramayana*, las leyendas del *Mahabarata*, los
prodigios de *Las mil y una noches* y el cisne encantado
del *Caballero del Graal*[2]. Corresponde al primer interés
estético del niño, de fantasía sin freno de realidades
Inerte: Sin   analizadas, inerte y contemplativa, vagamente esperan-
actividad.   zada en lo imposible.

---

[2] En el *Mahabarata* se reúne toda la poesía popular y religiosa de la antigua India. *Las mil y una noches* representa el conjunto de cuentos más importante de la literatura en lengua árabe; se trata de una amplia colección de relatos de tradición oral procedentes de la India, Arabia, Persia y Siria, que se fueron reuniendo a partir del siglo IX. La historia del Caballero del Cisne, o la del Graal, tiene su origen en el *Cuento del Graal,* escrito por el narrador francés Chrétién de Troyes hacia 1180.

2.º LOS HÉROES. Ciclo del ímpetu y de las literaturas épicas; edades de exaltación humana, de lucha y de conquista. Tomando sus páginas en la medida en que van desprendiéndose del lastre maravilloso, desde la *Ilíada* y *Los nibelungos*, resueltos aún entre mitologías, y a través de los cantares del *Cid* y de *Roldán*, sobriamente humanizados ya, hasta el heroísmo democrático, sin deslumbres de cortejos bélicos, como en el *Guillermo Tell* de Schiller[3]. Corresponde en la vida del niño a la segunda etapa de crecimiento, de eclosión física y de interés predominante por la acción, el movimiento y la aventura.

Lastre: Lo que sobra.

Cortejo: Acompañamiento.

Eclosión: Aparición repentina.

3.º CICLO ALEGÓRICO. Literatura de apólogos y formas indirectas, de símbolos y ejemplarios, encaminada a la lectura reflexiva y en busca del comentario y la interpretación.

Apólogos: Cuentos con intención moralizadora.

Ejemplarios: Colecciones de cuentos morales.

Así hemos compuesto este libro para niños, sin ordenación cronológica (directa ni inversa), que sería suponer un crecimiento rigurosamente matemático del espíritu humano, procurando atenernos en su selección y ordenación a un criterio estrictamente pedagógico, y en su realización, a la más pura disciplina literaria.

Este, al menos, ha sido nuestro intento[4].

---

[3] *Los nibelungos* es el poema épico nacional de Alemania; la *Ilíada* es la principal epopeya del griego Homero (siglos IX-VIII a. C); narra la batalla que sostuvieron los griegos contra la ciudad de Troya en Asia Menor; el *Cantar de Mio Cid* —único poema épico castellano conservado— narra el destierro y posterior triunfo del Cid, que había sido calumniado ante el rey por unos nobles leoneses; la *Canción de Roldán* —el más famoso de los poemas épicos franceses— está protagonizado por el emperador francés Carlomagno y sus principales caballeros. Frederich *Schiller* (1759-1805) fue la gran figura del teatro romántico alemán; en su obra más famosa —*Guillermo Tell* (1804)— la defensa de la libertad de los montañeses suizos se combina con el ataque a la tiranía, representada por el gobernador Gessler.

[4] El estilo y el contenido de esta especie de prólogo se separan con claridad de la escritura de las leyendas, al ofrecer un lenguaje técnico y preciso, propio de los tratados de pedagogía de la época.

Villancico y pasión

Aquella noche de diciembre no era una noche como las demás. El viento de hielo que hacía temblar los olivos de Jerusalén a Nazaret sí era el mismo; la nieve que tendía sobre el praderío sus manteles agujereados de charcos, sí era la misma; y también los carámbanos que colgaban sus barbas de enano en los tejados de las chozas. Y, sin embargo, bien claro se veía que no era una noche como las demás; porque en su blancura silenciosa había una íntima tensión, un jadeo impaciente de músicas nunca oídas, un remoto latir de raíces anunciadoras de no se sabe qué tremendo y dulcísimo milagro.

El viento, en vez de aullar al enredar sus cabellos en las ramas, les susurraba algo urgente y sigiloso como una consigna[1], y las ramas se abrían asombradas dejándole paso. Las ovejas, acarradas en el redil, se apretujaban inquietas, con un temblor que por vez primera no era de miedo. Y hasta la misma nieve sentía un entrañable escozor que le venía de muy adentro y que trasmanaba de ella como un caliente vaho animal. Era como si la noche entera, conteniendo la respiración, se hubiera puesto a pensar intensamente para que la nueva madrugada tuviera una nueva idea.

Tan distinta de las otras era aquella noche, que el cielo mismo se consideró obligado a condecorarla con una estrella más. Los pastores, buenos sabedores de es-

Carámbanos: Trozos de hielo largos y puntiagudos.

Sigiloso: Silencioso.

Acarradas: Resguardadas.

Redil: Corral para el ganado lanar.

Trasmanaba: Emanaba.

Vaho: Vapor que despide un cuerpo.

---

[1] El lenguaje de esta primera pieza muestra desde las primeras líneas una intención literaria y poética, como se puede apreciar en este bello ejemplo de personificación del viento.

trellas, no podían engañarse: era una estrella viajera que venía de Oriente, de las tierras morenas del camello y las especias[2], donde los reyes, al celebrar sus bodas y nacimientos, se hacen entre sí las ofrendas tradicionales del oro, el incienso y la mirra.

Mirra: Resina líquida de gratísimo olor.

¿Qué mensaje de cataclismo o maravilla traería aquel lucero errante?

Cataclismo: Catástrofe.

De pronto rasgó los aires el clarín angélico y todos los pastores se miraron estremecidos. Cuando los pobres escuchan las trompetas, nunca esperan nada bueno. Ellos aguardaban algo tan terrible que quizá no fueran capaces de soportarlo, o tan grande que quizá no fueran capaces de comprenderlo. Pero las sencillas palabras de la Anunciación[3] los tranquilizaron. ¡Era solamente que iba a nacer un niño pobre!

Clarín: Instrumento de viento más pequeño y agudo que la trompeta.

Aleluya: Canto religioso de alegría.

Entonces cayeron de rodillas y cantaron un aleluya de aliviado gozo. Porque un misterio tan dulce y tan pequeño cabía dentro de su corazón.

Brezaba: Acunaba.

En el establo de barro y de paja, como los nidos de las golondrinas, dormía el recién nacido entre la mula y el buey. María le brezaba con una de aquellas canciones lentas que llenaban sus largos silencios de costurera. José trataba de asegurar la puerta salida de sus goznes. Todavía no habían llegado los reyes ni los pastores.

Goznes: Bisagras sobre las que giran puertas y ventanas.

De repente la puerta se abrió violentamente, y otro hombre y otra mujer entraron en el refugio con otro niño. La barba aborrascada del hombre y el largo cuchillo que llevaba cruzado en el cinturón de soga atemorizaron a María, recordándole viejas historias de ladrones.

Aborrascada: Fuerte e irregular.

---

[2] Bajo el nombre de especias se conocían en la Antigüedad los vegetales aromáticos usados como condimento y para la conservación de determinados alimentos: pimienta, canela, clavo, nuez moscada y azafrán. Se producían en el lejano Oriente; para su transporte a Occidente se organizaban grandes caravanas a través de las rutas comerciales. Colón en su primer viaje a América trataba precisamente de encontrar una vía marítima más rápida para llegar a la India, lugar del que se traían muchas de estas especias.

[3] Se refiere al momento en que un ángel anunció a los pastores el nacimiento de Jesús en el portal de Belén.

—No temáis —dijo el hombre—; los soldados me persiguen, pero nunca he hecho otro mal que el necesario para defender nuestras vidas. Solo pido refugio y un poco de fuego para mi mujer y mi hijo.

—Acércate —dijo María a la mujer—. Tus ropas están heladas. Dame a tu hijo que lo duerma en mi regazo.

Y tendió las manos, pero la mujer la rechazó con un grito:

—¡No! ¡Nadie puede tocarlo más que yo! El tuyo es hermoso y sano. Guarda tus manos para él.

María la miró con extrañeza, sin comprender, y la vio llorar en silencio, besando aquella carne de su carne para calentarla, como una vaca a su nacido.

Cuando fijó sus ojos en el cuerpo del niño comprendió por fin. Unas pústulas rosadas se abrían en sus rodillas, y redondas escamas de plata le salpicaban el pecho como la tiña del musgo blanco en el tronco del abedul.

Pústula: Inflamación o grano lleno de pus en la piel.

Tiña: Enfermedad de la piel.

José no pudo sofocar una exclamación de espanto:

—¡Lepra![4]...

Abedul: Árbol de la familia de las betuláceas de ramas delgadas y tronco de madera blanca y semidura.

—No tengáis miedo —repitió el hombre del cuchillo—..., no lo acercaremos al vuestro. Ya estamos acostumbrados a andar siempre al borde de los caminos, a no pisar los molinos ni las viñas, a pedir el pan desde lejos y no dirigir la palabra a nadie si no es con la boca contra el viento. Pero la noche está helada, y el pequeño no podría resistirla. Solo pedimos un poco de fuego en un rincón.

María se sintió conmovida en las entrañas. Tranquilizó a José con una mirada, dejó a su Niño en el pesebre, al aliento manso de la mula y el buey, y tomando resueltamente al enfermo en sus brazos lo tendió en el cuenco todavía caliente de las rodillas donde había

Cuenco: Vasija ancha y honda sin asas.

---

[4] Enfermedad infecciosa por la que la piel se va corrompiendo a partir de horribles cicatrices. Se consideraba una enfermedad maldita en la Antigüedad y la Edad Media; en la actualidad está prácticamente erradicada.

dormido a su Hijo. Y apretándolo contra el pecho siguió cantando en voz baja para el pequeño leproso.

Al amanecer, cuando los pastores caminaban hacia *Rabel:* Instrumento el establo entre flautas y rabeles, portando sus aguinaldos y recentales y quesos montaraces, todas las huellas del «mal blanco» habían desaparecido milagrosamente. El niño leproso reía feliz, con todo su cuerpo sano y limpio. Solamente en el hombro derecho le había quedado en recuerdo una marca de plata pequeña y blanca como una flor de lis.

Treinta y tres años más tarde ardía Palestina en rebeliones de doctrina contra la Roma pagana y de independencia contra la Roma imperial. Los mártires de una y otra eran llevados al suplicio infame del madero[5] acusados de falsos profetas o de ladrones.

A la cárdena luz de la tarde el dulce Jesús de Galilea agonizaba en su cruz. A su diestra, un fuerte montañés de barba aborrascada se retorcía entre los cordeles de la suya con un lamento más semejante a una queja que a una protesta.

—¿Por qué me acusan de vivir fuera de la ley si nunca me han dejado vivir dentro? De niño solo conocí el borde de los caminos; ni el lagar de las uvas ni el umbral de los molinos me permitían pisar, ni pedir mi pan si no era con la boca contra el viento. Nací, como los míos, marcado por el mal y la miseria. De mi padre solo heredé un cuchillo y el instinto animal de las montañas. ¿De qué pueden acusarme ahora los que me acosaron siempre como a un perro sarnoso? Solamente una dulce mujer me cantó una noche de nieve sobre sus rodillas, y a ella le debo la vida tanto como a mi propia madre. Si hice algún mal inútil, yo te pido perdón por su recuerdo...

El Rabí le miró profundamente, y vio que en el hombro derecho tenía una marca de plata pequeña y blanca como una flor de lis.

Rabel: Instrumento de la música popular antecedente del violín.

Aguinaldo: Propina que se da con motivo de las fiestas navideñas.

Recental: Cordero o ternero que todavía mama.

Montaraz: Procedente del monte.

Lis: El lirio o lis tiene una flor grande con seis pétalos azulados, amarillos o blancos.

Cárdena: De color azulado.

Lagar: Lugar donde se pisaban las uvas para fabricar el vino.

Umbral: Entrada.

Sarnoso: Con sarna, una enfermedad de la piel.

Rabí: Sacerdote de la religión judía.

[5] Se alude aquí a la crucifixión y muerte de Cristo en la Cruz.

Entonces le sonrió piadosamente con las palabras del perdón:

—*En verdad te digo que esta misma noche entrarás conmigo en Casa de mi Padre*[6].

---

[6] El evangelista san Lucas es el único que recoge con precisión la conducta de los dos ladrones al lado de Cristo en la cruz. Al buen ladrón es al que Jesús anuncia la salvación con estas mismas palabras.

El anillo de Sakúntala

Sakúntala, la amada de los pájaros, es la más delicada flor del teatro oriental. Una doncella llena de sencillez campestre y religiosa; un joven rey cazador, hijo de la Luna, y el amor luchando contra el destino. Este es el fondo del hermoso drama, escrito, no se sabe cuándo ni dónde, por el antiguo poeta Kalidasa[1].

HAY EN LA INDIA, al pie del monte Himavat, un bosque sagrado donde viven los ascetas consagrados a la meditación y a la sabiduría. Sus lagos son de agua azul, siempre inmóvil; el arroz silvestre crece allí espontáneamente junto al césped de los sacrificios, y los animales del bosque son sagrados para el cazador, de afiladas flechas, que debe entrar humilde y desarmado en el silencioso recinto.

Asceta: Persona que se dedica a la práctica y al ejercicio de la perfección espiritual.

En este bosque habita la doncella Sakúntala, hija adoptiva del asceta Kanva. Ella, hermosa y delicada como un jazmín recién abierto, cuida las plantas y los animales del bosque. Con granos de arroz, y dándole a beber la leche en el cuenco de su mano, ha criado un cervatillo, que salta siempre alegre detrás de sus pasos.

Jazmín: Flor blanca de delicioso olor.

Sus amores son las flores y los árboles, que riega y mira crecer día por día; y su gran fiesta cuando, a la llegada de la primavera, estallan en el bosque los primeros brotes.

---

[1] Kalidasa fue un poeta y dramaturgo hindú que vivió en el siglo V de nuestra era. Su obra más famosa es el drama en siete actos conocido por el nombre de su protagonista: *Sakúntala*, procedente de un relato tradicional ya incorporado al *Mahabarata*, la gran epopeya hindú. Este drama fue muy admirado por Goethe y los románticos europeos e inspiró varias versiones musicales en los siglos XIX y XX. En la literatura hindú se considera a la protagonista un modelo de castidad y amor conyugal.

Un día, el joven rey Duchmanta, descendiente del dios de la Luna, llegó de caza al santo lugar. Venía en su veloz carro, con el arco de bambú atado a la muñeca, persiguiendo a una gacela negra, que penetró jadeante en el bosque de los solitarios[2]. Internose el rey tras ella, y tendía ya su arco dispuesto a disparar cuando una voz le contuvo diciendo:

—¿Quién se atreverá a manchar de sangre el bosque de la meditación? Detén tu brazo, no caiga tu flecha en el cuerpo de la humilde gacela como un rayo en un búcaro de flores.

Entonces el rey se dio cuenta del lugar en que se hallaba; descendió del carro y, dejando en él su manto y sus armas, porque en el recinto sagrado debe penetrarse con vestiduras sencillas, se dirigió al interior del bosque en busca de la ermita del venerable Kanva.

A su paso, el pájaro no se espanta, en la rama donde canta, y el gamo, que pace junto al sendero, levanta su cabeza para mirarle dulcemente.

De pronto oyó el rey, en un bosquecillo de bambúes, voces y risas de mujer, y se puso a observar entre el follaje. Era la hermosa Sakúntala, que, con otras doncellas, regaba los árboles. Llevaba una humilde vestidura de corteza de árbol, sujeta con leves nudos de cáñamo a los hombros y adornaba sus orejas con dos flores de acacia.

Así apareció a los ojos del rey, a través del follaje, sobre el verde tierno de la pradera, como un panal de miel nueva. Y Duchmanta olvidó al verla su palacio; olvidó la gacela que hasta allí le había llevado, y su corazón tembló en la quietud religiosa del bosque.

Luego, adelantándose, se presentó a las doncellas, que al verle quedaron un momento turbadas. Pero su noble aspecto y la delicadeza de sus palabras las tran-

---

Bambú: Planta tropical de caña ligera y resistente.

Gacela: Mamífero de la familia de los antílopes, muy ágil y con cuernos en forma de lira.

Búcaro: Florero.

Ermita: Iglesia pequeña.

Cáñamo: Planta de tallo velloso que se usa para fabricar cuerdas y tejidos toscos.

Acacia: Árbol con flores aromáticas que cuelgan en racimos.

---

[2] Como tendremos ocasión de ver a lo largo de las diferentes leyendas, en las literaturas populares el bosque aparece como un ámbito a la par desconocido y fascinante, muestra del poderío de la naturaleza y espacio donde tienen lugar acontecimientos mágicos y encuentros maravillosos.

quilizaron, y ofrecieron al desconocido el plato de leche, arroz y frutas, ofrenda sagrada de hospitalidad.

Los discípulos de Kanva llegaron al bosquecillo de bambúes, y reconociendo al rey Duchmanta, le dijeron que su venerable maestro estaba ausente rezando en los santuarios del Oeste, y le invitaron a pasar la noche en su cabaña. El rey no pudo negarse a ir con ellos, pero sus ojos no se apartaban de la hermosa Sakúntala, que quedaba allí.

Así iba, su cuerpo hacia delante y su alma atrás, como la seda de una bandera llevada contra el viento.

Varios días permaneció el joven rey con los ascetas en la montaña sagrada. Su corazón adoraba a Sakúntala, y cuando al caer la tarde conversaba con ella, sentados sobre la yerba, sus palabras se entrelazaban como las ramas de los árboles.

Y al fin un día el joven rey le confesó su amor, temblando como un niño. Sakúntala bajó los ojos de largas pestañas, y nada contestó. Pero sus manos cogieron una hoja de loto, y sobre ella escribió con la uña estas palabras: «No conozco tu corazón, pero día y noche el amor atormenta a la que ha puesto en ti toda su esperanza».

Loto: Planta acuática y olorosa de hojas grandes y flores blancas; abunda en los ríos orientales.

Al leer estas palabras, el joven rey la estrechó entre sus brazos. Y en el silencio del bosque, bajo los ojos de los dioses, le dio el juramento de esposo.

Días después llegó el séquito del rey al bosque sagrado, llamándole de nuevo a su palacio. Antes de partir, Duchmanta habló así a Sakúntala:

Séquito: Personas que acompañan a alguien.

—Toma mi anillo de oro, esposa mía. En él está grabado mi sello y escrito mi nombre. Cuenta una letra por cada día, y cuando todas las letras hayan sido contadas deja el bosque de tu padre y vete a mi palacio.

Así se despidieron Duchmanta, hijo del rey de la Luna, y Sakúntala, la doncella sagrada, amada de los pájaros.

Largos son los días de la espera. Sakúntala está triste sin su corazón, contando día por día las letras del anillo, y las lágrimas del amor marchitan sus mejillas, como dos jazmines regados con agua hirviendo[3].

Jazmín: Flor blanca de delicioso olor.

Un día Sakúntala, absorta en sus recuerdos, olvidó los deberes de la hospitalidad no atendiendo al ermitaño Durvasa, que llegó al bosque cansado y sediento. Y el ermitaño, ofendido, lanzó su maldición contra la doncella, diciendo:

Absorta: Concentrada.

—El rey no se acordará de Sakúntala, como el hombre ebrio no recuerda sus palabras del día anterior. Solo el anillo nupcial le devolverá la memoria. ¡Ay de Sakúntala si pierde su anillo!

Ebrio: Borracho.

Pero la doncella no oyó la maldición. Y el destino cruel arrebató el anillo de su mano un día al entrar en el baño, en el celeste Ganges[4] de las tres corrientes. Entre las aguas del sagrado río se hundió el anillo nupcial, y con él se hundieron entre la espuma los recuerdos del rey.

Cuando el día de la promesa llegó, las doncellas del bosque engalanaron a Sakúntala y ungieron sus cabellos. El venerable Kanva, que llegó aquel día, la bendijo y dirigió su palabra al bosque, diciendo:

Ungieron: Lavaron y perfumaron.

—¡Árboles sagrados! La que no quería beber cuando vosotros no habíais bebido; la que, gustando de adornarse, no cortaba, por miedo a heriros, ni una sola de vuestras ramas, Sakúntala, se va a casa de su esposo. ¡Dadle todos vuestro adiós!

Lino: Tejido de origen vegetal.

Resina: Sustancia que se obtiene al hendir la corteza de ciertos árboles, como el pino.

Y entonces se obró un perfumado milagro. Un árbol produjo un vestido de lino, blanco como la luna; otros destilaron su jugo de laca, de gomas y resinas

---

[3] Casona asimila a la perfección el estilo de las viejas literaturas orientales mediante el frecuente recurso de la comparación con elementos de la naturaleza, como la usada en este caso para referirse a las lágrimas de la protagonista.

[4] Se trata del río sagrado para las religiones hindúes, que a menudo arrojan a sus aguas las cenizas de los cadáveres tras ser incinerados; una práctica que se ha llevado a cabo recientemente también con las cenizas del famoso guitarrista de *Los Beatles* George Harrison, fallecido en la ciudad estadounidense de Los Ángeles el 29 de noviembre de 2001.

para perfumarla, y otros le tejieron brazaletes de fibra
y coronas de hojas de flores. Y el cuclillo del bosque
cantó diciéndole adiós.

Cuclillo: Ave, más conocida con el nombre de cuco.

Sakúntala se despidió de su cervatillo. Dio tres
vueltas alrededor del fuego sagrado, mientras sus com-
pañeras levantaban ritualmente en sus manos los granos de arroz. Y luego, como manda la Escritura, todos
los ascetas la acompañaron hasta el borde del agua.

Así se fue Sakúntala del bosque, llevando su perfu-
me, como una rama de sándalo cortada y trasplantada
a otro país.

Sándalo: Árbol de madera olorosa muy apreciada para construir muebles.

Ya se retiraba el rey Duchmanta de su Consejo, cuando se le avisó la llegada a palacio de dos ascetas condu-
ciendo a una hermosa doncella. El rey, respetuoso con
los habitantes del bosque sagrado, les hizo pasar en seguida a su presencia, interrogándoles sobre el motivo de
su llegada. Los ascetas respondieron, inclinándose:

—¡Seas siempre victorioso! El venerable Kanva te envía por nosotros su saludo. Venimos a traer la esposa a
casa del esposo. He aquí, ¡oh rey!, a tu esposa Sakúntala.

Duchmanta se quedó absorto ante estas palabras, mirando fijamente a Sakúntala, que, temblando de emoción, no se atrevía a levantar los ojos. Ni el nombre de
la doncella ni su rostro le recordaban nada. De este
modo se cumplía la maldición del ermitaño Durvasa.

—Y bien —contestó el rey, echándose a reír—: ¿qué
juego es este? Yo no he visto en mi vida a esta linda
muchacha ni he oído su nombre. ¿Cómo puedo tener
una esposa a quien no conozco?

Pero como los ascetas no le acompañaron en su risa
y le miraran severamente, Duchmanta se puso grave. Se
acercó a la doncella, contemplándola largamente, sin
reconocerla, pero conmovido por su belleza y su sonrisa inocente. Así estaba Sakúntala, entre los dos severos
ascetas, como una rama verde entre hojas amarillas.

—Hermosa niña —dijo el rey con ternura—. ¿Qué
prueba puedes darme de que eres mi esposa? ¿Tienes
en tu dedo mi anillo nupcial?

Sakúntala, con un rápido gesto de alegría, fue a mostrar su anillo; pero entonces echó de ver que lo había perdido al bañarse en el sagrado Ganges de triple corriente. Y dos lágrimas temblaron suspendidas en sus largas pestañas. Luego, las fuerzas la abandonaron y hubo de apoyarse, desfallecida, en sus compañeros, cerrando los ojos.

Preceptor:
Consejero.

Duchmanta, conmovido por el dolor de la joven, llamó a su preceptor, un anciano lleno de sabiduría, que sabía encontrar la verdad entre las mentiras como el cisne que bebe la leche sin tocar el agua que se ha mezclado en ella. Y le interrogó diciendo:

—He aquí que esta muchacha dice ser mi esposa, y yo no la conozco. ¿Cómo puedo saber la verdad?

Y el sabio respondió:

—Esta muchacha va a tener un hijo. Espera, ¡oh rey! Si el recién nacido tiene en su mano derecha la figura de una rueda, las profecías se habrán cumplido y el niño será tuyo.

Con estas palabras los ascetas dieron por terminada su misión y, rechazando a Sakúntala, que, llorando acongojadamente, quería regresar con ellos, tomaron el camino del bosque.

Sakúntala, entonces, huyó del palacio, llena de dolor y de vergüenza, maldiciendo el duro corazón de Duchmanta. Y por más que centenares de esclavos la buscaron por todas partes, no fue posible encontrar su paradero.

Un día los guardas de palacio prendieron a un pescador, al que encontraron un anillo de oro con el sello y el nombre del rey. Fue llevado a presencia de Duchmanta, acusado de ladrón. Pero el pobre pescador negó tal delito, afirmando que el anillo lo había encontrado en el vientre de un pez caído en sus redes en el celeste Ganges[5].

---

[5] La historia de la sortija perdida en el agua y recuperada por un pescador dentro del vientre de un pez es muy semejante a la del anillo de Polícrates, referida por el historiador griego Heródoto en el tercero de sus *Nueve Libros de la Historia*: temeroso de que su felicidad

Tomó el rey el anillo en sus manos, y, al contemplarlo, su corazón latió apresuradamente. Como una nube que se descorre dejando paso al sol, así el olvido se descorrió en su alma, y las escenas del bosque sagrado, la persecución de la gacela negra, el amor y el juramento de Sakúntala se presentaron nuevamente ante sus ojos.

Puso Duchmanta en libertad al pescador, regalándole el joyel de su turbante. Y mandando uncir su brillante carro, marchó al galope de sus caballos hacia el bosque sagrado.

Pero Sakúntala no está en el bosque ni en el reino. Nadie la ha vuelto a ver, nadie puede indicar sus huellas. Y Duchmanta llora de dolor y de arrepentimiento, un año y otro año, afligido por el recuerdo de Sakúntala, la amada de los pájaros.

Cuando en el cielo estalló la lucha entre los dioses y los gigantes, el celeste Indra[6] envió su carro, húmedo de rocío, al joven Duchmanta, hijo del rey de la Luna, para que le ayudara en el combate. Y en el veloz carro de oro, disparando sus flechas por encima de los relámpagos, Duchmanta venció a los gigantes. Recibió en premio una guirnalda de flores de «mandara», uno de los cinco árboles eternamente floridos en el cielo de Indra.

Y al regresar a la tierra, Indra hizo que el celeste carro se detuviera en la altísima montaña Cumbre de Oro, consagrada a la penitencia donde las almas puras, más altas que las nubes, se acercan a los dioses.

Allí, con el cuerpo ceñido de pieles de serpiente, apretado el cuello por un dogal de lianas secas, largos los cabellos, donde anidan los pájaros, los penitentes solitarios rezan inmóviles de cara al sol.

Apeose el joven Duchmanta para recibir la bendición de los solitarios. Y al internarse entre los árboles

Joyel: Joya pequeña.

Turbante: Faja enrollada en la cabeza muy típica de Oriente.

Uncir: Atar los animales al carruaje.

Dogal: Cuerda, atadura.

Liana: Planta que trepa por los árboles en las selvas tropicales.

y buena suerte pudiera despertar la envidia de los dioses, el tirano Polícrates arroja su más preciada joya al mar, pero un pescador la recupera y se la restituye; poco después recibe el protagonista de esta historia una muerte infame a manos de Oretes, gobernador de Sardes.

[6] Es el dios más importante de la India, soberano del Cielo y señor del rayo.

vio a un hermoso niño que jugaba con un cachorro de león. Reía el niño, agarrando al león por la melena, y Duchmanta, gratamente sorprendido por la belleza y el valor del pequeñuelo, se acercó a él, mirándole conmovido. Como el rey no tenía hijos, siempre que veía a un niño su corazón se llenaba de ternura y de tristeza.

Y sucedió entonces que al niño se le cayó un talismán que llevaba colgado al cuello, y el rey se agachó para recogerlo. Al hacer esto, el aya del niño, que llegaba en aquel momento, lanzó un grito, diciendo:

—¡Desdichado extranjero! No toques ese talismán, porque se convertirá en una serpiente. Solo el niño y sus padres pueden tocarlo.

Duchmanta se quedó absorto ante esas palabras, porque ya había recogido el talismán y no lo veía transformarse en una serpiente. Entonces, temblando de esperanza, cogió entre las suyas las manos del niño, y vio grabada en su diestra la figura de una rueda.

Y abrazándole, loco de gozo, le decía:

—¿Quién eres tú, hermoso niño, que pareces hijo de los dioses?

—Soy nieto del rey de la Luna —respondió el niño orgullosamente—. Mi padre es el héroe Duchmanta, a quien nunca conocí.

Entonces apareció Sakúntala con el rostro demacrado por las mortificaciones y recogido el cabello. Y era aún más hermosa en su dolor, semejante a la liana de flor blanca con los pétalos agostados de sol.

Duchmanta cayó de rodillas ante ella, besando el borde de su vestido y pidiéndole perdón. Luego puso nuevamente en su dedo el anillo nupcial. Y en el carro de oro del celeste Indra volvieron los tres a su reino.

Los mismos dioses, conmovidos por esta sencilla historia, la escribieron después en verso, mojando sus pinceles en el rocío del cielo.

Talismán: Objeto que posee cualidades mágicas.

Aya: Mujer que cuida a un niño.

Absorto: Concentrado.

Agostados: Secados.

Nala y Damayanti

Escuchad[1] ahora la bella historia de Nala y Damayanti, donde hay cisnes, elefantes, héroes y dioses. Está escrita en el libro de la selva del Mahabarata[2], el libro venerable de la India. Hace más de dos mil años la contó a los hombres antiguos el poeta Vyasa[3].

Hisarena, que reinó en el país de los nisadas, dejó dos hijos al morir. El mayor, Nala, era más hermoso que el mismo Indra, rey de los dioses. Cuando atravesaba la ciudad, al frente de sus ejércitos, parecía el Sol en toda su gloria. Era valiente y piadoso, conocía los sagrados *Vedas*[4] y protegía a los brahmanes.

Su hermano Puskara era enteco y envidioso. Le gustaba vivir en la sombra, y jamás se mezclaba con el pueblo. Nadie sabría decir si era valiente o cobarde, porque nunca se le vio en los juegos ni en la guerra.

Brahmán: Sacerdote hindú.

Enteco: Débil.

Nala se entregaba con placer a la doma de caballos salvajes. Ninguno se le resistía; y a todos los reducía a la rienda y al yugo. Y con ellos vencía en la carrera a los más hábiles conductores de carros. Después de los Consejos, donde trataba los asuntos de su reino, se en-

---

[1] El uso del imperativo para llamar e integrar al receptor en el discurso es un recurso muy característico de la poesía épica, que Casona incorpora a menudo en estas leyendas.

[2] El *Mahabarata* está considerada la obra literaria más extensa del mundo, pues se compone de más de doscientos mil versos. Se reúne allí toda la poesía popular y religiosa de la antigua India, aunque el núcleo principal narra las luchas entre los descendientes de los hermanos Kuru y Pandu.

[3] Hoy se sabe que el *Mahabarata* es una obra colectiva con sucesivas aportaciones a lo largo de los siglos, sin embargo, los hindúes siguen considerando como único autor a Krisna Dvaipayana Vyasa, personaje legendario que de vez en cuando irrumpe en la narración.

[4] Los Vedas son los libros religiosos de la antigua literatura india, escritos en sánscrito unos mil años antes del nacimiento de Cristo.

tretenía algunas veces en jugar a los dados. Y siempre tenía suerte; pero las ganancias del juego las repartía entre los ascetas y los mendigos. Nala no quería otras riquezas que las que se ganaban con los brazos y con el corazón.

En el país de los vidarbas reinaba el magnánimo Bhima. Tenía una sola hija, Damayanti, que era hermosa entre todas las doncellas. Su rostro era más gracioso que la luna creciente y sus ojos más bellos que la

Loto: Planta de hojas grandes abundante en los ríos de Egipto y de la India.

flor azul del loto. Su voz era tan melodiosa, que al hablar parecía que cantaba[5]. Los viajeros que cruzaban el país de los vidarbas celebraban por toda la tierra la belleza de Damayanti. El rey Bhima la adoraba, y le dio por doncellas a las más hermosas vírgenes del país. ¡Cuántas veces Damayanti oyó decir a sus doncellas: «Nala es el más hermoso de los reyes»[6]!

¡Y cuántas veces oyó Nala decir: «Damayanti es la más bella de las princesas»!

Así Nala comenzó a soñar con la princesa Damayanti. Ya no le divertían las fiestas de su palacio; escuchaba con impaciencia los discursos de sus consejeros, no prestaba atención a los emisarios de los reyes vecinos y buscaba la soledad de sus jardines. Allí, tendido sobre la hierba fresca, con los ojos entornados, soñaba con la bella princesa Damayanti.

Un día cogió en su jardín un cisne de alas doradas. El cisne, al sentirse preso, lanzó un grito y habló:

—No me mates, ¡oh rey! Si me concedes la vida, yo iré al país de los vidarbas, veré a la bella Damayanti y le diré cuánto la amas.

---

[5] Obsérvese de nuevo la habilidad con la que Casona describe la belleza de Damayanti mediante el uso de comparaciones con elementos de la naturaleza, tan típicas de las literaturas orientales.

[6] La historia de Nala y Damayanti es uno de los episodios más bellos del *Mahabarata* y figura entre las más bellas historias de amor de la literatura universal, con la serie de alegrías, adversidades, desencuentros y la unión final de los enamorados (en el capítulo 24 de la historia) descrita con palabras semejantes a las que luego usarán el autor del *Cantar de los Cantares*, texto bíblico atribuido al rey Salomón, y san Juan de la Cruz en el *Cántico Espiritual*.

Nala sonrió, sorprendido y alegre; abrió su mano, y el cisne desplegó sus alas volando hacia el país de los vidarbas.

Damayanti estaba en su jardín, bañándose con sus doncellas en un estanque florecido de lotos, cuando vio llegar un cisne de alas de oro, que se posó sobre el agua. La princesa se dirigió hacia él a nado; pero el cisne huía, nadando más ligero que ella. Así lo persiguió por el agua y luego por la pradera, alejándose de sus doncellas. Entonces, el cisne le habló con una voz como una canción:

—Escúchame, bella Damayanti, que vengo a ti como mensajero. En el país de los nisadas reina el gran Nala; no tiene par entre los hombres, y es más hermoso que los mismos dioses. Nala te ama y está triste de amor. Ámale tú, Damayanti, la más bella de las princesas. Que lo mejor se una a lo mejor.

Damayanti escuchaba al cisne, y sus labios se entreabrían oyéndole como una flor al sol. Después acarició tiernamente al mensajero de las alas de oro:

—Vuela, cisne querido, vuela al país de los nisadas. Y di a Nala que se ponga en camino, que venga a casa de mi padre. La más humilde de las princesas se honrará con la visita del más hermoso y valiente de los reyes.

Y el cisne, rápido y sonoro, voló nuevamente al país de los nisadas.

El rey Bhima envía heraldos, por toda la tierra, convocando a una Asamblea nupcial, donde la princesa Damayanti elegirá esposo. Corren los heraldos, lanzando su pregón por todos los reinos, y todos los príncipes se ponen en camino hacia el país de los vidarbas. Van en ilustres carros, seguidos de brillantes cortejos. Entre todos destaca el carro dorado de Nala, tirado por veloces caballos salvajes.

Heraldo: Mensajero.

Es la víspera de la Asamblea nupcial. Hoy, todos los caminos de la India conducen a la corte de la princesa Damayanti.

Y el pregón de bodas llega también a la mansión de
los dioses. Allí están reunidos el celeste Indra, y el ardiente Agni, y Kali, el dios vengativo, y todos los demás dioses[7]. Indra les dirige la palabra:

—Escuchad, inmortales. Mañana se celebra en la
corte del magnánimo Bhima la Asamblea nupcial donde la bella Damayanti ha de elegir esposo. Damayanti
es la más hermosa princesa de la tierra; todos los reyes
arden en deseos de agradarle. ¿No iríamos nosotros a
disputar a los reyes de la tierra la más bella de las princesas?

—¡Sí, sí! —contestaron todos—. Descendamos a la
corte de Bhima, y que Damayanti elija su esposo entre
los dioses.

Y con deslumbrantes cortejos, Indra, Agni, Kali y
todos los dioses se encaminan en carros de oro hacia el
país de los vidarbas.

Todos los pretendientes son introducidos en un amplio salón de techos altísimos, resplandeciente de oro
y pedrerías. Bhima recibe a todos con el rostro son-
riente, dichoso de ver en su reino a los más ilustres
príncipes de la tierra. Cuando entran los dioses, se inclina gravemente ante ellos, deslumbrado por su aire
majestuoso. Pero cuando hace su entrada Nala, se oye
en todas partes un grito de admiración: es tan brillante como un héroe, hermoso como un dios. Entre los
dioses se sienta; los príncipes le miran con envidia, y
los mismos dioses no pueden ocultar su turbación.

En medio de un gran silencio aparece ahora la no-
Guirnalda: Corona   ble Damayanti. Trae en sus manos una guirnalda de lo-
de flores.   tos para ofrecerla al elegido de su corazón. Sus ojos,
sonrientes y turbados, se posan sobre todos los pretendientes, y al ver a Nala, su corazón desfallece de
gozo y de amor. Sin vacilar va hacia él para tenderle la

---

[7] Como explica Casona en las «Palabras preliminares», en bastantes de estas leyendas la
literatura popular se identifica con los mitos, por lo que aparecen en ellas dioses intervi-
niendo en los asuntos de los seres humanos y haciendo gala de sus mismos defectos y
virtudes.

guirnalda. Pero los dioses ven que van a ser públicamente derrotados por un hombre, y rápidamente se
ponen de acuerdo para evitarlo.

De pronto, Damayanti se detiene con los ojos des-
mesurados de sorpresa. Todos los dioses han tomado
la figura de Nala, y Damayanti ve delante de sí cien
Nalas, todos iguales. Entonces comprende que es una
treta urdida por los dioses, y les reza con toda la ternura de su corazón:

—¡Oh dioses! Bien sabéis que no puedo querer más
que a Nala. El cisne me trajo su palabra de amor, y
quiero serle fiel. ¡Oh dioses! Vuestra gloria es tan grande, que no puede caber en el amor de una débil mujer.
¡Oh guardianes del mundo! Presentaos en todo vuestro
esplendor para que yo pueda distinguir al rey Nala, a
quien ama mi corazón.

A estas palabras el milagro se desvanece. Los reyes
celestes se presentan en toda su gloria: sus ojos están
inmóviles, como grandes piedras preciosas, y sus pies
no tocan en el suelo. En medio de ellos, Nala, con los
pies en el suelo, tiembla de esperanza.

Entonces Damayanti, alegre y tímida, le tiende la
guirnalda.

En medio de brillantes fiestas se celebran las bodas.
Los poetas entonan sus mejores cantos en honor de Nala
y Damayanti[8], y los mismos dioses, a pesar de su derrota, perdonan el orgullo de los hombres y dan su bendición a los desposados. Después se remontan a su cielo.

Solo uno de ellos no quiso perdonar. Es Kali, el dios
vengativo, en cuyas manos están la riqueza y la miseria.

Cuando Nala y Damayanti regresan al país de los
nisadas, vuelven sobre una larga alfombra de flores,
bajo arcos de follaje y entre las bendiciones de su pueblo. Su reinado comienza con la mayor felicidad, y los
dioses inmortales les conceden un hijo y una hija.

---

[8] La transmisión oral de la literatura y su función social en la antigua India aparecen
reflejadas en esta escena de las bodas.

Pero Kali no olvida su venganza, y busca la alianza de Puskara, el perverso hermano de Nala. Un día, Puskara desafía a su hermano a jugar a los dados. Nala, por complacerle, accede a la partida, y el juego comienza. Detrás de Nala, invisible, está el dios Kali, que tiene en sus manos la buena y la mala suerte. Nala juega un anillo de oro que brilla en su mano. Tira los dados; tira los dados Puskara, y Nala pierde su anillo. Después Nala juega un collar que brilla en su cuello. Y lo pierde también. Y pierde, una a una, todas sus joyas, y sus armas, y sus carros de guerra. El perverso Kali sonríe; Puskara juega con frialdad. Y Nala se ciega cada vez más jugando, tentado por el dios, como si hubiera perdido la razón. Pasan las horas y los días, y la partida no se acaba. Los consejeros de Nala están llenos de angustia. Damayanti, en su palacio, llora sin cesar. Pero Nala no escucha las palabras de sus consejeros ni piensa en su esposa ni en sus hijos. Juega siempre, cogido de una extraña locura, un día y otro día. Pierde todo su oro y su plata, sus palacios, sus jardines, sus tierras y sus vestidos.

Damayanti tiembla por la suerte de sus hijos, y con un ayo fiel los envía a la corte del rey Brima, su abuelo. Después cae sobre su lecho, entre lágrimas y plegarias, esperando el regreso del esposo.

Ayo: Servidor que instruye a un niño.

Plegarias: Oraciones.

Nala ha jugado su derecho al trono y también lo ha perdido. Entonces Puskara le dice riendo:

—Dejemos el juego, hermano. ¿Qué te queda ya? Solo tienes tuya a la princesa Damayanti. ¿Quieres que la juguemos también?

A estas palabras, Nala recobra de repente la razón. Sin pronunciar una palabra se levanta, arroja sus últimos vestidos y, traspasado de dolor, va en busca de Damayanti. La princesa le recibe en sus brazos llena de ternura:

—¡Oh mi bien amado! Querido me eras en toda tu gloria. Más querido me eres hoy en tu miseria. Desnudo estás como cuando naciste. Yo seré tu madre, y tu

hermana, y tu esposa. De nuestras riquezas solo nos
Grosera: queda este trozo de tela grosera. Envolvámonos los dos
Ordinaria. en él.

Y abrazados, envueltos en el mismo lienzo, Nala y
Damayanti abandonan el palacio. Cruzan la ciudad, salen al campo, y al caer la noche, santamente enlazados,
se tienden sobre el suelo. Nala llora. Damayanti canta y enjuga sus lágrimas.

Ahora está dormida Damayanti bajo la luna. Nala la
contempla, conteniendo sus sollozos. Y piensa:
«¡Oh Damayanti, esposa mía! Tu fidelidad te ata a
mi triste destino. En los malos caminos, en el hambre
y en el frío, en los bosques poblados de fieras y serpientes, bien sé que quisieras estar a mi lado. Pero
¿cómo podría resistir tanta fatiga tu carne delicada? Yo
he pecado contra los dioses, olvidando mis deberes de
Expiar: Sufrir rey y de esposo, y debo expiar mi culpa. Pero tú eres
y reparar las inocente, ¡oh Damayanti! Vuelve a casa de tu padre
consecuencias donde tus hijos te esperan. Yo iré a buscarte allí cuan-
de un pecado do mi esfuerzo logre vencer mi desventura».
o culpa.
Así piensa Nala en silencio. Damayanti duerme y
sonríe bajo la luna.

Para evitarle todas las amarguras de la miseria, Nala
decide abandonar a Damayanti, pensando que al verse
sola volverá a casa de su padre. Varias veces ha intentado ya huir, pero su amor le hace volver otras tantas
veces al lado de la esposa dormida. Al fin, cuando el
Albor: Amanecer. primer albor aclara el horizonte, Nala se decide. Sin
despertarla, rasga en dos pedazos la tela que los cubre,
toma uno para envolverse y la besa en silencio.

Después, llorando en su corazón, se pierde solo en
la sombra de la selva.

¿Cuánto tiempo ha errado sola la bella Damayanti
por el bosque sin fin? Ha caminado largos días y largas
Antros: Cuevas noches por las montañas y por las llanuras; ha visto los
oscuras e antros siniestros donde se guarecen las fieras y los be-
incómodas.

llos parajes donde cantan los pájaros. Ha atravesado
ríos y lagos. Ha sido atacada por las serpientes y los
malhechores[9]. El viento y el sol han castigado su carne
delicada. Y anda, anda siempre, llamando en voz alta a
Nala, que la ha abandonado.

A los tigres pregunta por el hermoso Nala, y los tigres la miran dulcemente, sin responderle. Pregunta a
los ascetas de la Montaña Sagrada, y los ascetas le responden con palabras de luz:

—Sigue tu camino, bella Damayanti. Sufre y espera. Tú volverás a ver a Nala en toda su gloria. Él reina-
rá muchos años sobre la alegría de los pueblos, casti-
gará a los malvados y subirá en su fuerte brazo a los
honrados. Y los dioses os bendecirán. Sufre y espera,
¡oh Damayanti!

Y Damayanti sigue su camino. Unos mercaderes la
recogen, compadecidos de sus ojos de gacela y su belleza castigada del sol. Lleva la caravana gigantescos
elefantes ricamente enjaezados y se dirige al reino feliz
de los chedis. En un campo verde acampan, junto a un
lago florecido de lotos. Pero a medianoche, un rebaño
de elefantes salvajes viene al lago, y al ver a sus hermanos los elefantes de la caravana convertidos en esclavos, los atacan con rabia y aplastan a los mercaderes.

Así la bella Damayanti, mientras no llegue la hora
del perdón, llevará la desgracia dondequiera que vaya.

Nala ha seguido su peregrinación, dura y terrible,
igual que Damayanti. Largos días y largas noches ha
caminado también, y se alimenta de frutas silvestres y
raíces, bebiendo sus lágrimas. Un día llega a un bosque
donde crepita un gran incendio. De entre las llamas
oye salir una voz:

—¡Oh gran Nala, sálvame, por amor de los dioses!

Gacela: Mamífero
de la familia de los
antílopes, muy ágil
y con cuernos en
forma de lira.

Enjaezados:
Adornados.

Loto: Planta acuática
y olorosa de hojas
grandes y flores
blancas; abunda en
los ríos orientales.

Crepitar: Hacer
ruido la leña
al arder.

---

[9] Obsérvese cómo el uso de la anáfora y el paralelismo sirve para subrayar la fatigosa e
interminable peregrinación de Damayanti.

Nala se mete entre las llamas sin vacilar y salva de
Duende: Espíritu o   la muerte al desdichado. Era un naga, duende travieso,
fantasma travieso.   encantado en el bosque por la maldición de un asceta
al que había interrumpido en sus meditaciones.

—Gracias, gran rey —dijo el naga—. Tu valor me
ha salvado. En prenda de gratitud voy a revelarte el
porvenir. Aún sufrirás algún tiempo, ¡oh Nala!, porque
la maldición de un dios te persigue. Pero tus penas al-
canzarán su fin; volverás a ver a Damayanti y a tus hijos, y tu reino te será devuelto. Ahora escúchame y
obedece: da veinte pasos hacia el río y cava allí un
hoyo.

Nala obedeció. Cavó el hoyo, y halló un manto rojo
de tela grosera.

—Cúbrete con ese manto y mírate en el río.

Al mirarse en el río, Nala dio un grito de espanto. Su
rostro estaba cambiado y era de una horrenda fealdad.

—Así irás por el mundo —agregó el naga—, sin
que nadie te pueda reconocer. Serás el más feo de los
hombres y desempeñarás, ¡oh rey!, los oficios más humildes. Vete al palacio del rey Riturpana y trabaja allí
en los establos, sin acordarte de tu grandeza. No des-
cubras a nadie tu nombre ni tu patria. Cuando encuentres de nuevo a Damayanti serás perdonado. Arroja entonces ese manto rojo y volverás a aparecer en
todo tu esplendor.

Después, como la bruma de la mañana, el naga desapareció.

Mucho tiempo ha pasado. Nala trabaja humildemente en los establos del rey Riturpana. Limpia las
cuadras y los carros, da pienso a los caballos y doma
los potros salvajes. No se avergüenza de su humilde
oficio, pero sus ojos lloran día y noche recordando a la
bella Damayanti, que abandonó en la selva.

Damayanti está ahora acogida en el palacio del rey de
los chedis, sirviendo de doncella a la princesa Sunanda.

El magnánimo rey Bhima, desde que supo la des- *Magnánimo:*
gracia de Nala y Damayanti, arde en deseos de volver *Generoso.*
a verlos. Un día llamó al sabio brahmán Sudeva y le
dijo:

—Mucha es tu sabiduría, Sudeva. Solo tú puedes
hallar a mis hijos Nala y Damayanti. Ve por la tierra y
busca sin descanso, día y noche. Di a Nala que no tenga reparo en venir a mis brazos; le daré mil vacas, todas las tierras que quiera y la mayor de mis ciudades.
Que los dioses te protejan, Sudeva.

Cien días habían pasado cuando Sudeva llegó al reino de los chedis. Fue a saludar a la princesa Sunanda,
y al mirar a sus doncellas su corazón saltó de gozo. A
pesar del sol y del viento, a pesar del hambre y el frío,
del cansancio y del tiempo, ¿quién no hubiera reconocido la voz maravillosa y la belleza de Damayanti?

Bien cumplió la mitad de su misión el sabio brahmán. Ahora ya está Damayanti al lado de sus hijos, en
la casa de su padre. Y Sudeva vuelve a recorrer la tierra en busca del rey Nala. A los caminantes, a los pájaros, a las fieras, el buen brahmán preguntaba:

—¿Habéis visto cruzar por aquí a Nala, el más hermoso de los hombres?

Pero ¿quién podría reconocer a Nala en aquel feo
mozo de los establos de Riturpana?

Así, al cabo de otros cien días llegó Sudeva al palacio de Riturpana. Tampoco allí sabía nadie el paradero
del gran Nala. Pero los ojos de Sudeva saben ver lo que
no ven los ojos de los otros hombres. Una noche oyó
al mozo de los establos llorar, clamando por su amor
perdido. Sudeva se fijó en sus manos, finas y blancas;
en la tristeza de sus ojos, de dulce mirada; en su manera de domar los potros salvajes y conducir los sonoros carros. Y en todo esto recordaba Sudeva al gran
Nala; le preguntó su nombre y su patria; pero Nala,
cumpliendo las palabras del naga, se negó a decirlos.

Al fin, Sudeva decidió hacer la última prueba. Si
aquel hombre extraño era Nala, lo demostraría en las

carreras de carros, en que nadie pudo igualársele jamás. Y Sudeva habló al rey Riturpana delante de todos sus criados:

—Sabed, ¡oh gran rey!, que la princesa Damayanti, considerándose viuda, reúne mañana nueva Asamblea nupcial para elegir esposo. ¿No iréis vos allá, oh Riturpana?

—De buen grado iría. Pero el país de los vidarbas está a cien leguas de aquí. ¿Quién podría recorrer en un solo día tan enorme distancia?

Al oír esto, el corazón de Nala tiembla de emoción. De un salto se coloca ante el rey:

—Yo te llevaré, ¡oh Riturpana! Mañana al amanecer tu carro estará ante el palacio de la bella Damayanti.

Nala corre a los establos gritando y llorando de gozo. Unce al brillante carro dos potros sin domar, de sangre picante, que se encabritan y piafan nerviosos al sentir los frenos de plata. Riturpana, con Sudeva y su cortejo, monta en el carro. Nala, en pie, empuña las riendas, restalla su largo látigo y, envueltos en una nube de polvo, gritos y relinchos, los caballos se lanzan a través del campo.

Legua: Medida de longitud equivalente a 5.572 metros.

Uncir: Atar los animales al carruaje.

Piafar: Golpear el caballo el suelo con las patas.

Restallar: Hacer sonar el látigo en el aire.

Damayanti se ha levantado esta mañana temprano y alegre como nunca. Su corazón ha soñado un dulce presentimiento. Está amaneciendo: en el jardín se escucha el bramido de los elefantes; en el estanque juegan los cisnes, y las flores se abren frescas al sol.

Damayanti sale a su terraza a respirar el aire limpio de la mañana. Allá lejos, en el camino, divisa un brillante carro. Se acerca, se acerca; parece que vuela. Un hombre lo guía cubierto con un manto rojo. Ya entra el carro en la ciudad, atronando sus calles dormidas. Ya llega ante el palacio. El hombre vestido de rojo desciende al suelo de un salto; corre a la puerta, derribando en su carrera a los centinelas, petrificados de asombro; sube la ancha escalinata como un loco, cruza las salas, llega a la terraza. Grita sin aliento:

—¡Damayanti, Damayanti!

Y arroja al suelo el manto rojo, apareciendo de repente en todo su esplendor.

—¡Oh Nala, mi bien amado!

Y Nala y Damayanti se abrazan sin palabras.

En el jardín del rey cantan los ruiseñores.

El gran Nala recobró su reino, del que cedió generosamente la mitad a su hermano Puskara. Siempre reinó para la justicia y el amor.

Y los hombres y los dioses fueron dichosos largos años con la dicha de Nala y Damayanti.

La muerte del niño Muni

Escrita en el Ramayana[1], el más hermoso libro de la literatura oriental, compuesto por el sabio y asceta indio Valmiki. Libro sagrado que encierra toda la fastuosidad, la belleza y la sabiduría de la antigua civilización indostánica. De él tomaremos el presente episodio, creyendo que jamás encontró ninguna literatura palabras tan conmovedoras y tan sencillas para llorar la muerte de un niño.

Asceta: Persona que se dedica a la práctica y al ejercicio de la perfección espiritual.

R AMA, EL HÉROE DE LA INDIA en quien encarnó el espíritu de los dioses para vencer a Ravana, el demonio-rey de Ceilán[2]; Rama, el brillante y hermoso hijo de reyes, ha sido desterrado al bosque de Dandaka por malas artes de su madrastra. Su propio padre, Dasaratha, ha dado la orden de destierro.

Y desde que Rama abandonó su patria, en el alma del rey Dasaratha se hizo la oscuridad, y llora sin tregua, recordando al noble hijo ausente.

Cinco días lloró, en la luz y en la sombra. Al sexto día hallándose el glorioso rey en medio de la noche, lamentando el destierro cruel de Rama, recordó una acción inicua de su juventud y comprendió que por ella le castigaban los dioses, y que estaba condenado a morir sin que sus ojos vieran nunca más al hijo desterrado.

Inicua: Malvada, injusta.

---

[1] Menos extenso que el *Mahabarata*, el *Ramayana,* atribuido a un poeta llamado Valmiki, recoge a lo largo de cincuenta mil versos la lucha del príncipe Rama, encarnación del valor y la bondad, para salvar a su esposa Sita del poder de los demonios. Aquí también se mezclan leyendas y mitos universales con épicas batallas y deliciosas historias personales, como la que ha recogido Casona.

[2] Actual Sri Lanka. Isla en el extremo sur de la península indostánica, que estuvo unida política y culturalmente a la India hasta mediados del siglo pasado.

Y en medio de la oscuridad habló así a su esposa, la reina Kausalya:

—Escucha atenta mis palabras, ¡oh reina! De la acción, buena o mala, que el hombre ejecuta, él ha de recoger necesariamente el fruto con el andar del tiempo. Yo recojo ahora el fruto de una criminal acción; por eso, cegado por el Destino, he desterrado a Rama, nuestro hijo querido, al que nunca más verán mis ojos. Escucha, ¡oh Kausalya!

En otro tiempo, siendo yo joven y experto en herir con las flechas a larga distancia, cometí un gran crimen. Fue por ignorancia, como un niño que sin conocimiento tragase un veneno. Entonces tú no estabas casada; yo era príncipe. Era a la sazón la estación de las lluvias calientes, cuando, bebiendo el rocío y calentando el mundo, el sol volvía de su viaje al Norte. Se alegraban las garzas y los pavos reales; los ríos, turbios, se desbordaban, y la tierra brillaba vestida de hierba verde.

Aljaba: Caja para guardar las flechas que colgaba a la espalda del arquero.

Entonces yo, con dos aljabas de flechas a la espalda y el arco en la mano, me encaminé a la orilla del Sarayu, deseoso de matar al búfalo o al elefante que durante la noche bajan al río a beber agua. Nada veían mis ojos; pero mis oídos percibieron el rumor de un cántaro que se llenaba en la orilla opuesta, y que me pareció el bramido de un elefante. Así, engañado y ciego por el Destino, ajusté rápidamente una afilada flecha a mi arco de bambú, y la disparé, sin ver, contra el sonido.

Bambú: Planta tropical da caña ligera y resistente.

Apenas cayó la flecha, he aquí que oí una voz lastimera de niño, que decía:

Saeta: Flecha.

—¡Oh dioses, soy muerto! ¿Qué hombre inicuo ha disparado contra mí esta saeta? ¿Qué mal te hice, ¡oh desconocido!, viniendo por agua durante la noche al río solitario? A tres inocentes ha matado tu afilada flecha, porque con el dolor de mi muerte morirá también mi padre, el ciego y mísero Muni[3], y mi madre, solos y abandonados en el bosque. Al oír estas palabras, toda mi alma tembló y el arco se me cayó de las manos. Corrí precipitadamente, atravesando el río, hacia donde la voz sonaba, y encontré al pobre niño, cubierto con una piel de ciervo, herido en medio del corazón, con la cabeza revuelta y caído entre el fango del agua. El niño herido clavó en mí sus ojos, como si quisiera abrasarme con su esplendor, y me dijo estas palabras:

—¿Qué mal te hice, ¡oh guerrero!, yo, pobre habitante del bosque? Vine por agua para mis padres, que, ciegos y solos en la selva, me aguardan con impaciencia. Tu malvada flecha nos quita la vida a los tres. Mi padre es sabio, pero ¿qué hará, impotente en su ceguedad, como es impotente un árbol para salvar a otro árbol herido? Ese sendero va a la ermita donde viven mis padres: corre pronto a su lado, ¡oh guerrero!, cuéntale al Muni mi muerte y pídele perdón, no sea que te maldiga y su maldición te abrase como el fuego a una rama seca. Pero antes, por los dioses te pido, sácame esta flecha que me quema las entrañas; que no muera yo con esta serpiente metida en mi carne[4].

Entonces, de su pecho palpitante, arranqué con gran esfuerzo la flecha. El niño clavó en mí sus ojos trémulos. Y murió dulcemente, entre su sangre.

Al verle morir caí en tierra sin fuerzas, llorando mi destino. Después cogí su cántaro y me encaminé hacia la ermita de sus padres. Allí los encontré a los dos, ciegos, ancianos y sin apoyo, como dos pájaros con las alas rotas. Hablaban de su hijo, temerosos por su tardanza. Al oír el ruido de mis pasos, el Muni me habló así:

Trémulo:
Tembloroso.

---

[3] Los Munis eran unos ascetas indios que se retiraban a la selva para consagrarse en soledad a la meditación espiritual.

[4] El riquísimo estilo del *Ramayana* —cuajado de comparaciones, juegos de palabras, símiles y metáforas— es adaptado por Casona al español con su proverbial habilidad retórica. Un buen ejemplo de ello se encuentra en esta metáfora de enorme plasticidad.

—¿Qué has hecho tanto tiempo, hijo mío? Teníamos miedo por ti, tan pequeño y solo en la noche. Tú eres nuestro refugio; tus ojos son los nuestros; no nos hagas sufrir más con tu tardanza. Tengo sed. ¿Qué haces que no me das agua, hijo mío? ¿Por qué no me respondes?

Llena de llanto mi garganta, esforzándome por hablar, con las manos cruzadas, le respondí:

—Yo soy el guerrero Dasaratha; no soy tu hijo. He cometido un horrendo crimen, y vengo a ti, ¡oh venerable Muni!, a pedir perdón. Con el arco en la mano fui a la orilla del Sarayu, deseoso de cazar el búfalo o el elefante que bajan de noche a beber agua. Entonces oí el rumor de un cántaro que se llenaba y, pareciéndome el bramido de un elefante, disparé a ciegas mi flecha contra aquel sonido. Así maté a tu hijo, clavándole mi saeta en el corazón. Por ignorancia cometí un crimen, ¡oh venerable! Aparta de mí tu cólera, no me maldigas.

Habiendo escuchado el Muni esto, quedó un largo espacio sin habla y sin sentido. Luego me dijo, entre lágrimas, estas palabras, que escuché con las manos cruzadas:

—Si mataste con premeditación a un Muni, estalle siete veces tu cabeza y que se incendie la tierra donde pises. Pero si ha sido sin pensarlo, tu pena será menor. Condúceme, ¡oh príncipe!, al lugar donde yace mi hijo. Ya que no podemos verle, llévanos a que palpemos su cuerpo y su sangre y sus cabellos en desorden.

Llegamos a la orilla del río; el solitario tocó con sus manos al hijo tendido en tierra, y lanzando gritos de dolor, cayó sobre su cuerpo. La madre besaba su rostro, ya frío, y lo lamía cálidamente como una vaca a su nacido.

—Abrázame ahora, hijo mío —le decía—. Espera, y luego partirás al reino de los muertos. Espera, y tu padre y yo iremos contigo.

Y luego le hablaba el padre[5]:

—Hijo mío, ¿no escucharé más tu voz en la noche del bosque, recitando la sagrada escritura de los Vedas[6]? ¿Quién me consolará después de orar y hecha la ablución y purificado el fuego? ¿Quién, para mi hambre y la de tu madre, recogerá en el bosque hierbas, y raíces y frutas silvestres? Sin culpa has muerto, hijo mío. Tú alcanzarás los mundos de los héroes que no vuelven; los lugares celestes donde habitan los Munis que han leído desde el principio al fin los Vedas, y los que no han sido avaros de sus vacas, de su oro y de sus tierras, y los hospitalarios, y los que dicen verdad.

Ablución: Lavado.

Después de estos lamentos, el Muni y su mujer fueron por agua limpia para purificar el cadáver del niño. Lavaron su cuerpo; y hecha la ablución, el Muni, volviéndose a mí, me dijo estas terribles palabras, que escuché con las manos cruzadas:

—Involuntaria fue tu acción; pero todo crimen llevará su castigo. Yo voy a morir de dolor por la muerte de mi hijo, al que no ven mis ojos. Del mismo modo, tampoco tú verás al tuyo a la hora de morir, y ansiando verle dejarás la vida[7].

Ya ves, ¡oh reina!, cómo la maldición del Muni se cumple hoy en mí. El dolor de no ver a mi hijo Rama me arranca la vida, como el empuje del agua arranca los árboles del río. ¡Oh, si Rama volviera, si me hablara su voz, si me tocaran sus manos!

Pero mis ojos ya no ven, mi memoria se oscurece...

¡Felices, oh reina, los que verán el rostro de mi hijo

---

[5] Viene ahora una conmovedora muestra del subgénero poético, denominado elegía, cuyo tema fundamental es la expresión de la tristeza por la muerte de una persona. En la Edad Media occidental constaba de tres elementos: reflexiones acerca de la muerte, lamento de los supervivientes y elogio del difunto.

[6] Los Vedas son los libros religiosos de la antigua literatura india, escritos en sánscrito unos mil años antes del nacimiento de Cristo.

[7] Concluye aquí un ejemplo de retrospección temporal, ya que para explicar la ausencia de su hijo Rama, el rey Dasaratha recuerda esta historia sucedida mucho tiempo atrás.

Rama, brillante y hermoso como la luna de otoño, a su regreso del bosque!

Así hablaba sin consuelo el gran rey Dasaratha, agitado en su lecho y acercándose al término de su vida como las estrellas al rayar el alba.

Y así murió, en el sexto día del destierro de su hijo Rama, pasada la medianoche.

La leyenda de Balder

Los «escaldas», poetas primitivos de Islandia y Noruega, contaron la vida de los doce dioses escandinavos, hijos de Odín. Sus cantos forman el libro de los «Eddas». He aquí la palabra y el acento del viejo libro sagrado en el canto llamado «Voluspa», donde se cuenta la leyenda del joven Balder, dios de la luz[1].

E N LA SÉPTIMA ESTANCIA DEL CIELO ESCANDINAVO, allí vive Balder, el más joven y bello de los dioses. Lleva una corona de flores blancas y ramas verdes. Sus ojos azules son inmensos como el mar; sus vestiduras blancas deslumbran como la nieve con el sol, y al paso de sus sandalias canta el pájaro y crece la yerba azul. Jamás ha caído una mancha, de lodo ni de sangre, en la mansión de Balder. *Lodo:* Barro.

Es el hijo predilecto de Odín, padre de los dioses, y de Friga, la Madre Tierra. Es la alegría de sus hermanos, todos más fuertes y más oscuros que él, señores del trueno y del fuego, de la música y del arco iris, de la sombra y de los desiertos helados. Y es el esposo de Nana, la diosa de las flores, que canta siempre en los jardines celestes, tejiendo la corona que todas las mañanas ha de entregar al amado. Una noche Balder tuvo un sueño terrible. Soñó que moría a traición a manos de uno de sus hermanos, y vio su reino azul teñido de sangre[2].

---

[1] Escaldas o escaldos eran los antiguos poetas escandinavos, semejantes a los juglares, autores de composiciones llamadas «eddas» donde se recogen leyendas heroicas y la mitología nórdica. De ellos el *Völuspa* es uno de los más antiguos; escrito en una lengua arcaica, narra la creación y el destino del mundo.

[2] Sueño y traición constituyen dos motivos argumentales habituales en estas historias de origen legendario y popular: al fin y al cabo se trata de elementos muy identificados con la mentalidad primitiva y los comportamientos básicos del ser humano.

Por la mañana se levantó lleno de angustia. Sus ojos estaban empañados de bruma. Cogió tristemente la corona de hojas que Nana le tendía de rodillas y, sin besar a la esposa, se alejó en silencio en busca de su padre. Nana se apretó las manos sobre el corazón. Era la primera vez que Balder no lanzaba su risa clara sobre el amanecer.

En su tienda de plata del Valhalla[3] está Odín, señor de las batallas. Blanca es su barba y azul el largo manto. En la diestra sostiene la lanza de fresno con la que domina al mundo. Y luce en la izquierda el brazalete de oro que hicieron para él los nibelungos[4]. No tiene más que un ojo. Sobre sus hombros se posan los cuervos de la sabiduría y a sus pies vigila un lobo.

Fresno: Árbol de madera muy apreciada.

Balder entra lentamente en el Valhalla. Ha atravesado el bosque de hojas de oro que rodea la muralla, ha franqueado la puerta custodiada por las águilas y penetra en la inmensa sala cuya alta techumbre de escudos sostienen las lanzas de los héroes.

Los guerreros, ante sus tiendas de roble y pieles de oro, encienden fuego con sus espadas, y las valquirias[5] ordeñan para ellos el divino hidromel en la ubre de la cabra sagrada.

Hidromel: Agua con miel.

Odín ha escuchado de labios de su hijo el terrible sueño. Nada responde, y medita hundiendo su barba en el pecho; la lanza de fresno tiembla estremecida en su mano. Después se levanta, ensilla su caballo y, clavándole la espuela, se lanza por la puerta del Norte hacia el país de la niebla.

---

[3] En la mitología escandinava el *Valhalla* representa el lugar donde viven eternamente los guerreros muertos de manera heroica; allí durante el día se celebran combates que no producen heridas y durante la noche los héroes en torno a Odín beben el líquido llamado hidromel, servido por las valquirias.

[4] Los nibelungos en la mitología germánica formaban una raza de genios que vivían bajo la tierra custodiando un tesoro ingente. Contra alguno de ellos se enfrentará el héroe Sigfrido en el poema épico nacional de Alemania, *Los nibelungos*, adaptado por Casona en otra de las leyendas de este libro.

[5] Cada una de las nueve hijas del dios Odín, que guiaban a los héroes en el combate y tras la muerte los cuidaban en el paraíso llamado *Valhalla*.

El dios de las batallas va a consultar a una antigua sacerdotisa dormida desde hace cien años entre los hielos. Su caballo vuela sobre la tempestad; lleva grabadas en los cascos las sagradas *runas*[6] y por eso sus patas no tocan en el suelo. Cuando llega a los altos hielos sale a recibirle el Perro de la Muerte con el pecho ensangrentado y aullando lúgubremente. Pero Odín no se detiene; salta sobre el perro fatídico y va a llamar con su lanza en la tumba de la sacerdotisa. Tan fuerte es el golpe, que el sueño de cien años se quiebra.

Fatídico: Que anuncia desgracias.

—¿Quién se atreve a romper mi silencio?

—Soy Odín, tu señor. Mi hijo Balder ha tenido un sueño terrible...

—Lo sé —responde la sacerdotisa—. Pero Balder no ha soñado más que la verdad. Su propio hermano le matará sin saberlo, y la mansión azul se teñirá de sangre. Alguien está ahora mismo meditando la traición.

—¡No quiero que muera Balder! —grita el dios.

Pero la sacerdotisa blanca no se turba. Con los ojos quietos, sin mover los labios, responde:

—De nada sirve tu poder. Podrás desterrar de tu lado a todos los dioses y los héroes; podrás castigar al culpable. Pero el Destino es superior a ti. Balder morirá. Y ahora vuelve a tu reino, Odín. Quiero dormir de nuevo y no pronunciaré más palabras.

—Aguarda, ¡oh sacerdotisa! Dime, al menos, quién es el traidor.

Pero la sacerdotisa se reclinó de espaldas en la nieve y cerró los ojos. Una capa de hielo cubría sus labios y sus vestidos.

Mientras su padre hacía el viaje al Norte, Balder fue en busca de su madre, Friga, y le contó el triste presagio. Friga lloró, abrazada a su hijo. Pero de pronto sus ojos brillaron alegremente.

---

[6] Formulas mágicas inventadas por Odín que forman parte del lenguaje de poetas y dioses.

—No morirás, hijo mío. ¡Yo te salvaré!

Friga recorrió aquella mañana todo el cielo y la tierra. Buscó al rayo y le dijo:

—Rayo: júrame que no matarás a mi hijo Balder.

Y el rayo juró.

—Lobo: júrame que no matarás a mi hijo Balder.

Y el lobo juró.

—Piedra: júrame que no matarás a mi hijo Balder.

Y la piedra juró. Y por amor de Friga juraron todos los metales, y el fuego y el agua y todas las enfermedades, y las fieras y las aves y los peces. Y juraron también las serpientes, y todo lo que arrastra.

Entonces la diosa volvió radiante al lado de su hijo, diciendo:

—El mal sueño se ha desvanecido. Ya eres invulnerable contra todo.

Y la risa de Balder estremeció de nuevo, gozosamente, las nubes.

Cuando la tarde caía, y sus hermanos iban llegando, Balder los llamaba alegremente, desafiándolos a herirle con sus armas. El primero en llegar fue Tyr, el dios de la victoria, con su larga lanza de cobre y su estandarte de púrpura.

—Hiéreme con tu lanza, Tyr —gritaba Balder.

Pero la lanza se embotaba en su carne.

Después llegó Heimdal, el dios del arco iris, con sus flechas de plata y su estandarte de siete colores.

—Hiéreme con tus flechas, Heimdal —gritaba Balder.

Pero las flechas resbalaban sobre su carne.

Después llegó Thor, el primogénito, en su carro de bronce tirado por dos cabras.

—Hiéreme con tu maza, Thor —gritaba Balder.

Y la maza rebotaba contra su carne.

Así fueron llegando los doce dioses hermanos. Y al ver la fortaleza del joven Balder reían y le abrazaban dichosos pensando que estaba libre de la muerte.

Bastardo: Hijo
ilegítimo.

Pero no todos ríen en el cielo. Hay un dios bastardo, hermano de Odín, que se muerde los labios despe-

chado. Es Loki, el negro dios del mal, que odia en su
corazón a Balder porque es la pureza y la luz.

Loki, mientras los hijos de Odín abrazaban a su
hermano invulnerable, se disfrazó de doncella y entró
en el palacio de Friga. Estaba la blanca diosa prepa-
rando las copas de hidromel para sus hijos. La falsa
doncella se acercó a ayudarle.

—¿Qué hacen ahora mis hijos? —preguntó la diosa.

—Juegan arrojando sus armas contra Balder.

—Mi hijo es invulnerable. Todos los elementos de
la Naturaleza me han jurado respetar su vida.

—¿Todos? —replicó la falsa doncella—. ¿No se te
habrá olvidado, ¡oh Friga!, pedir juramento a alguno?

—Solo a uno —contesta la diosa—. Uno tan pequeño, tan débil, que no podría hacer daño a mi hijo aunque quisiera. Es esa planta verde que crece junto a la muralla de Oriente del Valhalla. El muérdago es su nombre.

Cuando el traidor Loki supo esto salió sin ser nota-
do y, recobrando su forma natural, se encaminó a Valhalla. En la muralla de Oriente encontró el muérdago,
retorcido y verde; arrancó una rama, la emponzoñó
con su aliento y, aguzándole un extremo en forma de
dardo, volvió a la asamblea de dioses.

En aquel momento regresaba Odín de su viaje.

—¡Padre Odín! —gritó Nana al verle—. Mi esposo,
el hermoso Balder, está libre de la muerte. ¡Mira!

Y a estas palabras los dioses reanudaron su juego,
lanzando contra el hermano sus flechas, atacándole
con sus lanzas y sus hachas de combate. Balder reía,
blanco y brillante como la luna llena.

Entonces Loki se acercó a Hoder, hermano gemelo
de Balder, que estaba sentado aparte, en silencio. Hoder no tiene ojos porque es el dios de la noche.

—¿Por qué no tomas parte en el juego? —le preguntó Loki el traidor.

—Soy ciego —respondió tristemente Hoder—. Yo
no puedo hacer honor a mi hermano lanzándole mis
armas.

Despechado:
Decepcionado,
furioso.

Muérdago: Arbusto
que crece en
algunos árboles;
en algunos países
simboliza buena
suerte.
Emponzoñar:
Envenenar.

—Yo guiaré tu brazo —replicó Loki—. Toma esta rama de muérdago y lánzasela al corazón. Tu hermano se alegrará al verte participar en su homenaje. Y así se hizo. Hoder tomó en su mano la rama verde y, guiado por Loki, la arrojó contra el hermano. La

Saeta: Flecha. saeta de muérdago silbó en el aire y fue a clavarse temblando en el corazón del dios.

Balder se llevó las manos al pecho abierto y se desplomó hacia adelante. Un largo chorro de sangre manchó su vestidura blanca.

Y un gran silencio de espanto sobrecogió a todos. Odín se tapó el rostro con su manto; los hermanos, inmóviles, se miraban unos a otros sin acertar a pronunciar una palabra. Hasta que el llanto de Friga y el dolor a gritos de Nana vinieron a sacarles de su asombro.

Pero de nada sirvieron los llantos de la madre y de la esposa; de nada, el grito de venganza de los hermanos; de nada, el poder y la sabiduría de Odín. El destino se había cumplido.

Cuando Balder cerró los ojos se hizo la noche en el cielo y en la tierra.

En la negra noche se celebraron los funerales de Balder. A hombros de sus hermanos fue transportado el blanco cuerpo a la orilla del mar y tendido sobre la

Varado: Detenido. cubierta de su navío varado en la playa.

El padre, Odín, y la madre, Friga, iban detrás del hijo. Después, las valquirias y los cuerpos de Odín. Después, los gigantes de las montañas. Y al fin, los enanos, las musicales «nises» del agua, los «elfos»[7] blancos y verdes.

Pero cuando los dioses trataron de poner a flote el fúnebre navío, no fueron bastantes todas sus fuerzas.

---

[7] En la mitología escandinava los elfos eran los genios o espíritus que vivían en las cuevas y los bosques, en tanto que las nises (equivalentes a las ninfas grecolatinas) lo hacían en los ríos y lagos.

Hubo que llamar para esta empresa al gigante Volcán, que llegó montado en un lobo y con tres serpientes vivas arrolladas a la cintura. El gigante cogió entre sus manos los costados del navío y lo lanzó sobre las olas. Pero a su contacto el barco empezó a arder. Entre las llamas, sin consumirse, más ardiente y blanco que nunca, brillaba el cuerpo de Balder.

Nana, de rodillas en la playa, lloraba la muerte del amado. Tanto lloró que su corazón se partió en pedazos. Entonces Odín ordenó que fuera depositada sobre cubierta, al lado de su esposo. Y arrojó entre ellos su anillo de oro.

Sobre el oscuro mar, sin luna y sin estrellas, brillaba más que el día el navío ardiente en que Balder y Nana hacían su viaje al reino de los muertos.

Desde entonces los navegantes del Norte, los fuertes vikingos[8], imitaron los funerales de su dios, haciéndose enterrar de noche, en una barca ardiente, y en el negro mar.

Pero he aquí que Friga, no pudiendo resignarse a la eterna ausencia de su hijo, convocó a los dioses y les dijo:

—¿No hay entre vosotros un valiente capaz de bajar al reino de los muertos a rescatar a vuestro hermano? Tome el caballo de Odín el que se atreva.

Y el pequeño Agil, mensajero de los dioses, se adelantó diciendo:

—Yo iré a buscar a mi hermano. Yo ofreceré a la diosa de la muerte el rescate que pida. Dadme el caballo de mi padre.

Nueve días y nueve noches duró el viaje del mensajero, siempre hacia abajo y hacia el Norte, a través de sombríos valles y precipicios sin fondo. Cuando llegó

---

[8] Los vikingos formaban el pueblo escandinavo de guerreros, comerciantes y navegantes que llevó a cabo largas expediciones marítimas desde fines del siglo VIII al XI, alcanzando las tierras de Groenlandia y el norte de América.

al río del Silencio y atravesó su puente de oro[9], los centinelas quisieron detenerle diciendo:

—¿Quién eres tú? Tu rostro no está pálido, tus ojos brillan. Ayer pasaron por aquí cinco legiones de guerreros muertos y el puente no temblaba debajo de sus caballos como tiembla ahora debajo del tuyo. ¿Quién eres tú?

—¡Apartad! —gritó el dios—. Voy en busca de mi hermano.

Y diciendo esto, saltó sobre ellos. Y cabalgó más aún en el abismo negro.

Y llegó ante las murallas de la muerte. Una puerta de bronce defendía la entrada; tan alta era que los ojos no alcanzaban a divisar el dintel. Agil llamó tres veces con su lanza; el eco retumbaba dentro como un trueno oscuro. Pero nadie respondió.

Entonces Agil se apeó, apretó fuertemente la silla y, volviendo a montar, clavó toda la espuela en los ijares del caballo que, con un relincho furioso, se lanzó de un bote por encima de la muralla.

En el reino de los muertos, en un alto sitial, hermoso siempre, pero pálido y quieto, estaba Balder. Nana, apoyada en su rodilla, estaba sentada a sus pies.

Agil llegó ante el trono de la blanca Hel, diosa de la muerte, y le habló de rodillas:

—Devuélvenos a mi hermano, ¡oh Hel! Todo en el cielo y en la tierra está triste por su muerte.

La pálida Hel no se movió. Mucho tardó en contestar; su silencio era blanco y frío como ella[10]. Y dijo al fin:

—Si es verdad lo que dices, el joven dios regresará a su reino. Vuelve, ¡oh mensajero!, y di a todas las co-

Dintel: Elemento horizontal que cubre el hueco de una puerta o ventana, colocado sobre soportes verticales.

Ijares: Cavidades situadas a ambos lados y encima de las caderas.

Sitial: Asiento usado por una persona principal en ceremonias solemnes.

---

[9] Los mitos escandinavos en torno a la muerte explican así el viaje que en la tradición grecolatina representaba la travesía del río Leteo que separaba la muerte de la vida; se cruzaba mediante la barca de Caronte y conducía al lugar de los muertos cuya entrada estaba protegida por un perro llamado Cerbero.

[10] Aparece aquí la sinestesia, recurso poético que consiste en la atribución de una sensación a un sentido que no le corresponde. En en este caso el silencio, que corresponde al oído, se identifica con la vista (blanco) y con el tacto (frío).

sas del cielo y de la tierra que lloren por el hermoso
Balder.

Con estas noticias Agil se encaminó nuevamente a
los cielos.

Heraldo: Mensajero.

Odín envió heraldos por todas partes pidiendo a la Naturaleza entera que llorase la muerte de
Balder. Friga misma paseó sus sandalias por la nube y
la roca suplicando una lágrima por su hijo.

Y todo el mundo —los hombres y los animales, las
plantas y las piedras, y la yerba y los metales—, todo
el mundo lloró, como lloran las cosas cuando hace frío
y sale el sol.

Y sobre el rocío de la Naturaleza, Balder y Nana fueron rescatados de la muerte y volvieron al reino de la luz.

Esto es lo que nos contaron los «escaldas», los antiguos poetas noruegos e islandeses.

Después, los nuevos poetas, que ya no saben in-
ventar leyendas, se limitaron a interpretar las palabras
de los antiguos. Y dijeron:

—Balder es el estío. Hoder es el invierno. La blanca luz y la sombra ciega son hermanos. Cuando el estío muere, Nana, la diosa de las flores, muere con él. Y
con ellos se entierra el anillo de la fecundidad. Pero el
rocío, la lluvia, el llanto triste del invierno, harán rena-
cer una y otra vez al dios de la luz.

Y también dijeron:

—El traidor es pequeño, retorcido y venenoso
como el muérdago. Crece en nuestro propio huerto.
Pero tan despreciable nos parece que ni siquiera intentamos defendernos contra él. Por eso puede herirnos.

Este es el pensamiento de los poetas nuevos.

Pero es más bello el canto de los antiguos «escaldas».

Las mil y una noches[1]

Este es el libro de Las mil y una noches, *maravillosa colección de cuentos árabes, bizantinos, indios y persas. Los recopilaron los poetas arábigos en honor de Harún-al-Rachid, quinto califa de la dinastía de los Abasíes que reinó en Bagdad*[2].

L as crónicas de los antiguos reyes de Persia, que habían extendido su imperio por toda la India y más allá del Ganges[3], cuentan que hubo en otro tiempo un sultán de aquella poderosa dinastía, llamado Schariar, amado por su sabiduría y por su prudencia, y temido por su valor y el poder de sus ejércitos.

Sultán: Príncipe musulmán.

Su pueblo le quería ciegamente, y su reinado fue largos años feliz. Hasta que un día, enloquecido por la traición de su esposa, y creyendo en su furor que todas las mujeres eran lo mismo, concibió realizar una terrible venganza contra todas las doncellas de su reino. Llamó a su gran visir y le dio orden de decapitar a la sultana y a todas sus sirvientas. Y a partir de entonces, cada noche se casaba con una nueva esposa, a la que

Visir: Ministro en el antiguo régimen musulmán.

Decapitar: Cortar la cabeza.

---

[1] *Las mil y una noches* representa el conjunto de cuentos más importante de la literatura en lengua árabe. Se trata de una amplia colección de relatos de tradición oral procedentes de la India, Arabia, Persia y Siria, que se fueron reuniendo a partir del siglo IX; no se recogieron en libro hasta el siglo XV. En el siglo XVII un erudito francés los dio a conocer en Occidente, aunque algunos de los cuentos ya aparecen en la Edad Media europea, pues encontramos rastro de ellos en el *Decamerón*, de Boccaccio y en *El conde Lucanor*, del infante don Juan Manuel.

[2] *Harún-al-Rachid* fue el más famoso de los califas de *Bagdad* (en Iraq actual), capital en cuyo entorno surgió el mundo narrativo de *Las mil y una noches*. El *califa* era considerado sucesor del profeta Mahoma, por lo que ejercía la suprema autoridad civil y religiosa entre los musulmanes. Los Abasíes o Abásidas formaron la tercera dinastía de califas, fundada en 750 tras acabar con la dinastía Omeya; establecieron la capital del califato en Bagdad.

[3] Véase la nota 4 de «El anillo de Sakúntala».

mandaba degollar al día siguiente. Al anochecer, una nueva doncella entraba todos los días en el aposento del sultán, y al amanecer era degollada por el alfanje del visir.

Alfanje: Espada de hoja curva, característica de los musulmanes.

El rumor de esta bárbara venganza causó una consternación general en toda la ciudad, en la que no se oían más que gritos y lamentos. Y todo eran maldiciones y sangre en el reino que hasta entonces había sido el más feliz de la tierra.

Consternación: Dolor y preocupación.

Congoja: Amargura.

Acatar: Obedecer.

El buen visir sentía gran congoja y espanto ante las órdenes crueles que se veía obligado a acatar ciegamente todos los días. Y sus ojos derramaban lágrimas todas las mañanas al serle entregada la nueva víctima.

Tenía este visir dos hijas, la mayor llamada Scherezade, y la menor Dinarzada. Una y otra eran extremadamente hermosas; pero Scherezade unía a su extraordinaria belleza una gran sabiduría y una profunda virtud. Nadie como ella supo jamás el arte de contar hermosos cuentos, de los que guardaba millares en su memoria; fábulas, encantamientos y maravillas, historias antiguas de reyes y princesas, adivinanzas, cuentos de genios y dragones, de aventuras, de batallas y de amor. Oyéndola, nadie sentía el paso de las horas, y el alma se quedaba extasiada ante sus cuentos, como un peregrino hambriento ante un jardín de frutas maravillosas.

Y esta habilidad de Scherezade vino a salvar milagrosamente el reino de Schariar y la vida de millares de doncellas. Porque un día la hija del visir concibió el atrevido proyecto de ofrecerse por esposa al vengativo sultán. Ni el llanto de su padre, ni el terror de su hermana, ni el miedo al peligro cierto la pudieron disuadir. Puesta de acuerdo con su hermana, pasó la noche en el aposento del sultán; por la mañana, una hora antes del amanecer, Dinarzada vino a despertarla y le suplicó que, por ser el último día de su vida, le contara antes de morir alguno de aquellos hermosos cuentos que sabía, si el sultán se dignaba autorizarlo. Schariar

Disuadir: Convencer a alguien para que cambie de opinión.

accedió a oírlo, y cuando el cuento estaba a su mitad,
amaneció. Era la hora en que el sultán debía levantar-
se y acudir a la oración del alba; pero tan interesado es-   *Alba: Amanecer.*
taba en oír el final del cuento, que decidió perdonar
por un día la vida de Scherezade para oírlo a la noche
siguiente. Y cada mañana, Scherezade comenzaba un
nuevo cuento, y Schariar volvía a perdonarle la vida
para oír la terminación al otro día.
    Así, el príncipe oyó los cuentos de Scherezade por
espacio de mil y una noches. Hasta que olvidada su
venganza, y enamorado tiernamente de la hija del visir, perdonó por ella a todas las mujeres, la hizo reina
de su corazón y volvió a ser a su lado un príncipe justo y benévolo, amado de su pueblo.
    Oíd ahora uno de los cuentos que la discreta Sche-
rezade contó al príncipe Schariar , y que comienza así[4].

HISTORIA DEL PÁJARO QUE HABLA, EL ÁRBOL QUE CANTA Y EL AGUA DE ORO
Noche LVI

Señor: Hubo en otro tiempo un sultán en Persia,
llamado Koruscha, al que agradaba recorrer de noche,
disfrazado, las calles de su ciudad en busca de lances y   *Lances: Ocasiones*
aventuras. Una noche conoció a una muchacha de fa-   *especiales.*
milia humilde, pero tan discreta y hermosa, que se
prendó ciegamente de ella y decidió hacerla su esposa,
celebrándose poco después las bodas fastuosamente.   *Fastuosamente:*
    Las dos hermanas de la elegida, llenas de celos y en-   *Con mucho lujo.*
vidia, resolvieron vengarse de la nueva sultana a toda
costa. Y valiéndose de toda clase de intrigas, con-
siguieron apoderarse del primer hijo que tuvo su
hermana, arrojando al agua al recién nacido, dentro de

---

[4] Para ofrecer al lector una idea completa de la obra, Casona resume en primer lugar el
marco narrativo general —la historia del rey ofendido por su esposa, y la joven Scherezade
que le va seduciendo y entreteniendo con sus palabras— para escoger luego uno de los relatos: el correspondiente a la noche LVI.

una cesta⁵, en el canal que pasaba por los jardines de palacio. Luego fueron a ver al sultán y le dijeron que su hermana había dado a luz un gato. Mucho se dolió el sultán al recibir tan triste noticia, y mandó que sobre ello se guardara el mayor secreto.

Pero una feliz casualidad salvó la vida del inocente niño. El intendente de los jardines, que llevaba largos años casado sin tener hijos, vio la cesta flotando en el agua, la recogió, y al hallar al hermoso recién nacido, decidió llevarle a su casa, buscarle una nodriza y criarle como si fuera hijo suyo.

Intendente: Encargado de mantener algo.

Al año siguiente, la sultana dio a luz otro príncipe, y las perversas hermanas le colocaron también en otra cesta y la arrojaron al canal, diciendo al sultán que su hermana había dado a luz un nuevo monstruo. Afortunadamente, el niño fue recogido del mismo modo por el intendente de los jardines.

Perversa: Muy mala.

Finalmente, la sultana dio a luz una hermosa princesa, y la inocente criatura corrió la misma suerte que sus hermanos, siendo arrojada al canal y recogida por el intendente.

El sultán, desesperado por tanta desgracia, concibió un gran odio contra la sultana, y ordenó al gran visir que la hiciese encerrar en una jaula de madera, vestida con groseras telas, y que quedara expuesta así al escarnio público en la puerta de la mezquita, para que todo musulmán le escupiera en el rostro al ir a hacer sus oraciones.

Escarnio: Burla muy ofensiva.

Grosera: Maleducada, ordinaria.

Mezquita: Templo donde rezan los musulmanes.

El intendente crió a los príncipes con ternura paternal, que aumentaba a medida que crecían en edad y revelaban todos ingenio extraordinario, y la princesa una belleza sorprendente. Los tres hermanos, llamados ellos Baman y Perviz, y la princesa, Parizada, estudiaron con un preceptor geografía, poesía, historia y ciencias; haciendo tales progresos en poco tiempo, que pronto

---

⁵ Semejante suerte corrió Moisés —uno de los grandes personajes de la *Biblia*— al ser arrojado también en una cesta al río Nilo, para ser recogido y adoptado poco después por la hija del Faraón.

aventajaron a su maestro. También aprendieron toda clase de juegos: montar a caballo, cazar, danzar y arrojar la jabalina. Así crecieron y se educaron aquellos príncipes, alegrando los últimos años del buen intendente, al que creían su padre, el cual murió sin revelarles el secreto de su nacimiento, dejándoles herederos de sus riquezas, de una magnífica casa de campo rodeada de jardines y un ancho bosque lleno de ciervos y leones.

Un día en que los dos príncipes habían salido de caza y Parizada quedó sola en el palacio, llegó una peregrina musulmana rogándole que le permitiera entrar para hacer sus oraciones. La princesa la atendió solícitamente, dándole la hospitalidad que manda la ley y ofreciéndole presentes y agasajos. Cuando la anciana iba a retirarse, agradecida por tantas atenciones, dijo a la princesa:

— Señora, vuestra casa es espléndida, alhajada con magnificencia y situada en un paraje encantador. Solo tres cosas le faltan para ser el más delicioso palacio del mundo.

—¿Y qué cosas son esas, mi buena madre? —preguntó Parizada.

—El pájaro que habla, el árbol que canta y el agua amarilla de color de oro, de la cual basta una sola gota para hacer un surtidor que jamás se consume.

—Hermosas cosas son esas, mi buena madre. Pero ¿cómo saber dónde se hallan?

—Las tres se hallan juntas en el mismo lugar, en los confines de este reino. La persona que quiera encontrarlas no tiene más que caminar veinte días sin descanso, siguiendo siempre el camino que pasa por delante de esta casa[6]. Al cumplirse los veinte días encontrará a un anciano, y él le dirá dónde se hallan las tres maravillas.

Y dicho esto desapareció.

Solícitamente:
De forma amable y cortés.

Alhajada:
Amueblada.

---

[6] El motivo del viaje aparece con mucha frecuencia en estas historias mágicas y populares, dado que el salir del lugar de residencia habitual, algo nada frecuente en aquellos tiempos para la mayoría de las gentes, constituía el primer modo de enfrentarse a lo desconocido.

Hondamente preocupada quedó la princesa con esta revelación, y en cuanto regresaron sus hermanos les contó todo lo sucedido. El príncipe Baman se levantó de repente, diciendo que había resuelto ir en busca del pájaro, del árbol y del agua de oro para tener el placer de regalárselos a su hermana. De nada sirvieron las palabras y ruegos de sus hermanos para hacerle desistir de tan arriesgada empresa. En un momento hizo Baman sus preparativos, y al despedirse, entregó a su hermana un cuchillo envainado, diciéndole:

—Mira de cuando en cuando la hoja de este cuchillo. Mientras la veas brillante nada temas. Pero si ves que se empaña y gotea sangre, será que alguna desgracia me ha ocurrido. Llora entonces por mí.

Y abrazando a sus hermanos por última vez, el valeroso Baman montó a caballo y se alejó en línea recta por el camino que la anciana había indicado.

Atravesó toda Persia, y al cumplirse los veinte días encontró a un anciano de larga barba blanca, sentado bajo un árbol, cubierto con una mísera estera y tocado con un sombrero de anchas alas en forma de quitasol. Era un sabio derviche retirado de las vanidades del mundo.

El príncipe echó pie a tierra y le habló así:

—Buen derviche, vengo de lejanas tierras en busca del pájaro que habla, el árbol que canta y el agua de oro. ¿Podrías indicarme dónde se encuentran?

—Señor —respondió el derviche—, conozco ese lugar. Pero el peligro a que vais a exponeros es inmenso. Muchos valerosos caballeros han pasado por aquí y me han hecho la misma pregunta, y ni uno solo ha vuelto de la atrevida empresa. No sigáis adelante; volveos a vuestro país.

—No conozco el miedo, ni me importan los peligros[7]. Os suplico que me indiquéis el camino.

Estera: Alfombra tosca.

Derviche: Monje musulmán.

---

[7] El motivo del viaje se combina a menudo con la prueba o desafío que debe superar el caballero, príncipe o héroe para alcanzar un beneficio o encontrar el tesoro; se trata de la forma más evidente de resaltar la grandeza del protagonista frente a sus rivales en el contexto de una mentalidad primitiva donde se exaltan actitudes básicas del ser humano.

Viendo el derviche que de nada servían sus prudentes consejos, sacó una bola brillante de un saco que tenía junto a sí y la presentó al joven.

—Tomad esta bola —le dijo—. Echadla a rodar y seguid tras ella hasta la falda del monte donde se pare. Bajaos entonces del caballo, que os esperará allí, y subid a la cumbre de la montaña. Encontraréis a derecha e izquierda una multitud de piedras negras y oiréis una confusión de voces que, con insultos y amenazas, tratarán de haceros retroceder. No miréis atrás, porque, si lo hacéis, os convertiréis al punto en una piedra negra como las otras, que son otros tantos caballeros encantados. Si lográis llegar hasta lo alto, allí veréis una jaula, y en ella, al pájaro que habla; preguntadle, y él os dirá dónde están el árbol que canta y el agua de oro. Ahora haced lo que os parezca y que Alá os proteja.

Agradeció Baman las palabras del anciano: tomó la bola, y echándola a rodar, siguió detrás hasta la falda de una montaña. Dejó allí su caballo y comenzó la ascensión entre las filas de piedras negras. Apenas había dado cuatro pasos, comenzó a oír las voces de que le había hablado el derviche; unas se burlaban de él, otras le insultaban, otras proferían terribles amenazas. El príncipe siguió subiendo intrépidamente, pero las voces llegaron a hacer tan amenazador estruendo rodeándole, que sus rodillas empezaron a temblar. Volvió la cabeza para retroceder, y al instante quedó transformado en una piedra negra, lo mismo que su caballo[8].

Proferir: Pronunciar palabras de enfado o amenaza.

Intrépidamente: Con valentía.

Parizada llevaba siempre a la cintura el cuchillo que su hermano le entregó al partir. Un día, al mirar su hoja, la vio chorreando sangre, y la pobre princesa lloró amargamente la desgracia de Baman.

---

[8] De nuevo otro detalle argumental relacionado con la *Biblia*: Dios decide destruir la ciudad de Sodoma a causa de sus pecados; solo se salvan Lot y sus hijas, porque la esposa quedó convertida en estatua de sal cuando desobedeció la prohibición divina y miró hacia atrás para ver cómo ardía la urbe (*Génesis*,19).

Pero Perviz era animoso y valiente, y no podía conformarse, como ella, con llorar a su hermano. Así, pues, decidió intentar la misma empresa, y se aprestó a partir en seguida, sin dar oídos a los lamentos de Parizada, que temía perder a los dos y quedarse sola en el mundo. Antes de partir, Perviz entregó a su hermana un collar de perlas con cien cuentas, diciéndole:

—Repasa diariamente las cuentas de ese collar. Si un día las perlas no corren, como si se hubieran pegado unas a otras, será que me ha ocurrido alguna desgracia. Llora entonces por mí.

Y abrazándola amorosamente, montó a caballo y siguió el mismo camino que su hermano.

A los veinte días encontró al derviche en el mismo lugar, bajo el mismo árbol; le hizo iguales preguntas, recibió las mismas indicaciones y consejos, y tomando la bola brillante que el anciano le entregó, la echó a rodar y siguió tras ella hasta la falda del monte. Descabalgó allí y comenzó a subir a pie la cuesta bordeada de piedras negras. Pero apenas había dado unos pasos oyó una voz amenazadora que decía:

—¡Aguarda, cobarde; no huirás de mi venganza!

El príncipe era impulsivo y valiente, y al oír tal amenaza tiró de su espada sin poder contenerse y se *Insolente*: Atrevido volvió para castigar al insolente. Y apenas lo hubo hecho, quedó convertido en piedra negra, lo mismo que su caballo.

Grande fue el dolor de Parizada cuando supo por las cuentas del misterioso collar la desgracia de su hermano. Pero en su corazón había decidido lo que habría de hacer llegado el caso, y, sobreponiéndose a su dolor, montó a caballo, bien armada y vestida de hombre, y se puso en marcha, siguiendo el mismo camino de sus hermanos.

A los veinte días encontró al anciano derviche, al que hizo las mismas preguntas que sus hermanos. De las indicaciones que recibió dedujo que lo más difícil de la empresa era lograr dominarse al oír las voces, y su astucia de mujer le sugirió un ardid para librarse de ellas. Y fue el de taponarse con algodones los oídos, hecho lo cual arrojó la bola brillante, siguió tras ella hasta la falda del monte, dejó su caballo y empezó a subir la cuesta.

Ardid: Acto inteligente para conseguir algo.

Centenares de voces salían de todas partes; unas con insultos groseros; otras con terribles amenazas, y la princesa las oía, a pesar de los algodones. Su ánimo estuvo a punto de desfallecer; empezó a temblar, pero el recuerdo de sus hermanos le infundió nuevo valor, y apretando el paso, entre un cerco de voces que a cada momento crecían y resonaban cada vez más terribles, llegó a la cumbre, donde vio una jaula con un pájaro de maravillosos colores. Inmediatamente se apoderó de la jaula, llena de gozo, y preguntó al pájaro:

—Dime, ave maravillosa: ¿dónde está el agua de oro?

El pájaro le indicó el camino, y la princesa llenó en el agua amarilla un pequeño frasco de plata. Luego le preguntó por el árbol que canta, y el pájaro respondió:

—Ahí, en medio del bosque, lo hallarás. Corta una rama y plántala en tu jardín; pronto crecerá y será un árbol frondoso, con la misma virtud que el árbol padre.

Frondoso: Con muchas ramas.

Guiada por el mágico concierto, no tardó la princesa en hallar el árbol sonoro, cuyas hojas, al ser movidas por la brisa, producían una dulce música. Cortó una pequeña rama sonora, y vuelta junto al pájaro, preguntó otra vez:

—Mis hermanos están aquí encantados, convertidos en piedras negras. ¿Qué haré para salvarlos?

—Derrama una gota de agua maravillosa sobre cada piedra.

Así lo hizo Parizada, y con la jaula, la rama de árbol y el frasco de plata comenzó a bajar la ladera, derramando una gota de agua amarilla sobre cada piedra. Al instante el encantamiento se desvanecía, y en lugar de cada piedra negra aparecía un caballero. De este modo volvieron a la vida los príncipes Baman y Perviz, los cuales abrazaron a su hermana con lágrimas de gozo. Y en posesión de las tres maravillas regresaron a su palacio, escoltados por todos los caballeros salvados por el valor de la princesa, los cuales le rindieron plei-

Pleitesía: Acto
de sumisión.
tesía y la colmaron de bendiciones.

Llegados a su casa, Parizada puso la jaula en su jardín, y apenas el pájaro comenzó a cantar cuando los ruiseñores, las alondras, los pinzones y malvises[9], todos los pájaros del cielo, vinieron a su lado a aprender el maravilloso canto. La rama se plantó en un cuadro del mismo jardín; arraigó al instante, y en poco tiempo se hizo un árbol frondoso, cuyas hojas producían los más dulces sonidos. Y en medio del parque se levantó una taza de mármol blanco, donde Parizada derramó su frasco de agua de oro, elevándose al momento un surtidor de veinte pies de altura, que nunca se agotaba.

Portento: Maravilla.
Cundió: Se extendió.
La nueva de tales portentos cundió pronto por todo el reino, y llegó hasta el mismo palacio del sultán, el cual, al saber que los dueños de aquel jardín eran los hijos de su antiguo intendente, mostró deseos de conocerlos, y decidió ir en persona a admirar la casa maravillosa.

Cuando Parizada supo que su casa iba a ser visitada por el sultán, no cabía en sí de gozo, y consultó al pájaro acerca de lo que debería servirle a la mesa.

—Lo que más le agrada —respondió el pájaro— es un plato de calabazas, con relleno de perlas.

Suspensa quedó la princesa ante este peregrina respuesta y sin saber qué pensar. Pero el pájaro insistió, diciendo:

—Cava de madrugada al pie del primer árbol del jardín. Allí encontrarás las perlas que necesitas.

Así lo hizo Parizada, encontrando un cofrecito de oro lleno de perlas, todas iguales y hermosísimas. En

---

[9] Son aves de diversas especies, convertidas en cantoras gracias a la magia del pájaro que les enseña.

seguida dispuso un espléndido banquete para obsequiar al sultán, mientras sus hermanos fueron a la corte para unirse a un séquito.

Llegados a la casa, el sultán conversó largamente con Parizada y sus hermanos, quedando encantado del ingenio y discreción que en los tres se descubría. También hizo grandes elogios de la casa y el jardín, que comparó a su propio palacio. Cuando vio el surtidor de oro, se detuvo maravillado:

—¿Dónde está el manantial de este surtidor que no tiene igual en el mundo?

La princesa no contestó a esta pregunta, y le condujo ante el árbol que canta. Allí creció el asombro del sultán:

—¿Dónde están los músicos que producen este armonioso concierto? ¿Cómo es que no los veo? ¿Están bajo la tierra o invisibles en el aire?

Tampoco a esto contestó la princesa, y le condujo ante el pájaro que habla.

—Esclavo mío —dijo Parizada—, he aquí al sultán. Salúdale como merece.

Dejó el pájaro de cantar y respondió:

—Sea bien venido el sultán de Persia, a quien Alá colme de venturas.

El sultán no salía de su asombro ante tales portentos, y apenas se atrevía a dar crédito a sus ojos y a sus oídos. Sentáronse luego a la mesa, y cuando vio la calabaza rellena de perlas, se quedó pasmado, mirando alternativamente a los príncipes y a la princesa, sin comprender la razón de tan extraño guiso.

—Señor —dijo entonces el pájaro—, ¿os maravilláis de ver un relleno de perlas y no os maravillasteis de que vuestra esposa diera a luz tres monstruos?

—Así me lo aseguraron —respondió el sultán, sorprendido.

—Sí; pero fue un engaño de las hermanas de la sultana, envidiosas de su suerte. Vuestra esposa dio a luz una hermosa hija y dos hijos que fueron arrojados al

Séquito: Personas que acompañan a alguien.

agua por sus hermanas y recogidos y educados por el intendente de vuestros jardines. Y vuestros hijos son esa bella princesa y esos dos príncipes que tenéis a vuestro lado[10]. Al oír estas palabras, el sultán y sus hijos se abrazaron, derramando lágrimas de alegría, y su corazón estallaba de felicidad.

Al día siguiente, el sultán hizo prender a las dos envidiosas hermanas, las cuales confesaron su crimen; pidió públicamente perdón a su esposa, y la inocente sultana fue sacada de su cárcel de madera y vuelta con sus hijos, a sus honores y a la felicidad de su palacio.

Fausto: Favorable. El pueblo, al saber tan fausto acontecimiento, se agolpaba por las calles aclamando a sus jóvenes príncipes. Así vivieron felices largos años. Y en sus jardines siguió cantando el pájaro maravilloso, atrayendo a los ruiseñores y las alondras, los malvises y pinzones, que de toda Persia venían a aprender su canto.

---

[10] Con el nombre de anagnórisis (palabra griega que significa reconocimiento) se designa un recurso muy típico de las literaturas clásicas por el que algún personaje era reconocido por los demás, produciendo gran sorpresa, máximo efectismo y precipitando el desenlace del conflicto; es lo que ocurre aquí cuando el sultán se encuentra con sus hijos.

Lohengrin

He aquí la antigua leyenda del Caballero del Cisne, que cruzó en su barca encantada todos los caminos del cuento y la novela, la poesía y el teatro. La literatura española medieval la tradujo de los libros de caballerías francesas[1]. Y hoy es universalmente conocida en su versión alemana[2], que la cuenta así:

Al morir, el príncipe de Brabante dejó dos hijos: la princesa Elsa, adolescente, y el pequeño Godofredo, bajo la tutela de su pariente el conde Federico. Juntos jugaban los dos hermanos en el bosque. Elsa, silenciosa, con los ojos fijos en el mar, soñaba con el día feliz en que conocería el amor, y se lo imaginaba en figura de un rubio caballero, armado de brillantes armas y avanzando por el mar en una barca tirada por un cisne. De este modo, Elsa solía dar rienda suelta a su fantasía, y permanecía largas horas callada, sentada sobre la hierba y con los ojos fijos en el mar, por donde el misterioso caballero había de aparecer con su barca de encanto.

Un día la sorprendió así la noche en el bosque, entregada a sus sueños, y sin darse cuenta hasta que se vio envuelta en sombras. Llamó a su hermano, que jugaba

[1] Se refiere Casona a la extensa narración histórico-novelesca titulada *Gran conquista de Ultramar*, compilada a comienzos del siglo XIV por un autor anómimo. Allí, junto a la historia de las Cruzadas, se incorporan numerosas leyendas caballerescas, como la del Caballero del Cisne. El origen común está en *El cuento del Graal*, escrito por el francés Chrétien de Troyes hacia 1180.

[2] La versión alemana más conocida de esta leyenda fue la que llevó a cabo Richard Wagner (1813-1883), cumbre de la música y el teatro universales por el enriquecidos con una serie de óperas magistrales. En dos de ellas, *Parsifal* y *Lohengrin*, se escenifica esta leyenda.

a su lado, para volver al castillo; pero el niño no contestó a su llamada. Inútilmente le buscó y le llamó a gritos, corriendo todo el bosque[3]. El niño había desaparecido, y fueron vanos cuantos esfuerzos y pesquisas se realizaron por todo el país para hallar su paradero.

El conde Federico lloró la muerte del niño, y compadecía en su corazón a la pobre Elsa, que desde aquel día vivía sumida en constante dolor y encerrada en silencio, apartada de las gentes.

Pero Federico estaba casado con una perversa hechicera, llamada Ortrudis, la cual empezó a sembrar la más amarga duda en su pecho, diciéndole que la princesa Elsa había arrojado al mar a su hermano para heredar ella sola el trono de Brabante. Mucho esfuerzo costaba al conde dar crédito a tan horrenda acusación; pero Ortrudis amontonaba sospechas contra la doncella un día y otro, haciéndola objeto de las más viles calumnias, hasta que consiguió llevar el odio al corazón de su esposo, el cual decidió acusar públicamente a la princesa Elsa de la muerte de su hermano.

En una ancha pradera, a orillas del río Escalda, frente al mar, está sentado[4] el rey Enrique de Alemania, bajo la frondosa encina a cuya sombra se administra justicia.

Feudatario: A su lado, los condes y los nobles feudatarios, y enSometido a un frente, agolpado en semicírculo, el pueblo brabanzón.
señor feudal.
Brabanzón: Natural Ante el rey, ceñudo y lleno de ira, habla el conde
de Brabante. Federico. A su izquierda, rodeada por sus doncellas,
Ceñudo: Con gesto vestida de blanco y con los ojos inmóviles llenos de lá-
de enfado. grimas, la princesa Elsa escucha su acusación.

---

[3] De nuevo se observa la función que en las literaturas populares desempeña el bosque como un ámbito a la par desconocido y fascinante, muestra del poderío de la naturaleza y espacio donde tienen lugar acontecimientos mágicos y encuentros maravillosos.

[4] A lo largo de esta leyenda Casona se vale habitualmente del presente de indicativo (en este caso llamado presente histórico) y de adverbios de tiempo («ahora», «hoy») para acercar la acción hasta los oyentes de modo que estos se sientan casi como testigos de las peripecias de los héroes. Se trata de un recurso habitual también entre los recitadores épicos medievales.

—Escucha mi querella, rey Enrique, y que el cielo *Querella:* Queja.
guíe la espada de tu justicia —dijo Federico—. Yo acuso ante ti y ante el pueblo a esta mujer de la muerte de
su hermano el príncipe Godofredo. Juntos fueron al
bosque, y bien entrada la noche volvió sola a mi casa,
pálida y espantada, diciéndome que el niño había desaparecido. Ninguna razón puede alegar en pro de su
inocencia; su palidez, su trastorno y los crueles remor-
dimientos que desde entonces la atormentan acusan su
crimen. Con la muerte de Godofredo, ella hereda por
ley el dominio de este país, tu feudatario. ¡En nombre
del pueblo pido justicia contra Elsa de Brabante, la fratricida!   *Fratricida:* Quien
Estas palabras llenan de doloroso asombro al pue-   mata a su hermano
blo brabanzón, que se agita como un oleaje en torno a   o hermana.
la encina de los juicios.

Elsa, muda y blanca, parece no darse cuenta de
nada, con los ojos perdidos en el mar.

El rey Enrique se yergue al escuchar la acusación;   *Se yergue:*
cuelga su poderoso escudo de las ramas de la encina y   Se levanta.
clava su espada delante de sí en el suelo.

—Que este escudo deje de protegerme —dice so-
lemnemente— si mi voz no castiga al culpable.

A estas palabras, todos los guerreros se despojan de
sus armas, que dejan desnudas sobre la hierba. Y hay
un hondo silencio de ansiedad.

—¡Elsa de Brabante! —dice el rey Enrique—. ¿Has
escuchado de qué crimen se te acusa?

Elsa no contesta. Sus labios murmuran en voz baja:

—¡Pobre hermano mío!

—¡Elsa de Brabante! —dice el rey Enrique—. ¿Has
escuchado de qué crimen se te acusa? Pero ésta es la
acusación y débil el juicio humano para sentenciar.
¿Aceptas someterte a la decisión del cielo?

Elsa hace con la cabeza un gesto afirmativo.

—Y tú, conde Federico, ¿aceptas igualmente la sentencia por un juicio de Dios, sosteniendo con las armas
las palabras?

Heraldos:
Mensajeros.

Liza: Batalla.

Clarín: Instrumento
de viento más
pequeño y agudo
que la trompeta.

Crin: Conjunto de
cerdas que tienen
algunos animales en
la cerviz, en la parte
superior del cuello
y en la cola.

Brida: Freno del
caballo con las
riendas y el correaje
para sujetar la
cabeza del animal.

Paladín: Caballero
noble y valiente.

—Acepto —responde Federico—. He aquí mi espada dispuesta a mantener la acusación. Hágase el llamamiento y salga al campo el que quiera defender contra mí la inocencia de Elsa.

Entonces cuatro heraldos, adelantándose al Norte y al Sur, al Este y al Oeste, señalan el campo de la liza, clavando sus lanzas en los cuatro extremos, y hacen sonar al mismo tiempo los clarines, clamando:

—¡Salga a combatir el que quiera, en juicio de Dios, por la inocencia de Elsa de Brabante!

Nadie se mueve. Los hombres miran con lástima las lágrimas de la princesa, pero ninguno se atreve a defenderla con las armas. Un largo espacio espera el rey, con la cabeza caída sobre el pecho. Después levanta su guante y la llamada de los heraldos suena por segunda vez. Elsa mira con angustia en torno; pero nadie se adelanta.

Por tercera y última vez suena la llamada de los clarines. Elsa desfallece; los hombres bajan los ojos avergonzados, y un mortal silencio responde al llamamiento.

De pronto, bajando por el río, reluciente al sol, aparece un misterioso caballero, en pie sobre una barca tirada por un cisne. De plata es su armadura, y su casco, alado de largas crines. Trae una bocina de oro colgada al cinto y una capa blanca con una paloma bordada en el pecho; de oro son también las bridas del blanco cisne.

Al verle, un grito, unánime, se levanta sobre los brabanzones:

—¡Milagro, milagro!

El caballero llega a la orilla, salta el césped y acaricia el cuello del cisne, que, arrastrando la barca, vuelve río arriba, contra la corriente. Después avanza lentamente, saluda al rey y al pueblo y exclama:

—He aquí el paladín que llega de lejos a defender la inocencia.

Y volviéndose a Elsa, la toma en sus brazos, diciendo estas palabras:

—Elsa de Brabante, heme aquí dispuesto a defender con las armas tu virtud. ¿Tienes fe en mi valor? Si alcanzo la victoria, júrame que nunca intentarás averiguar cuál es mi nombre, ni mi patria, ni mi raza.

Elsa, que ha permanecido inmóvil, como deslumbrada por un encanto, desde que el caballero apareció, se lanza a sus pies, abrazada a sus rodillas.

—Júrame, Elsa, delante de todos, que nunca intentarás penetrar el misterio de mi vida. Que nunca intentarás saber quién soy ni de dónde vengo.

—¡Lo juro! —exclama Elsa.

Entonces el rey desclava la espada del suelo, golpea con ella tres veces el escudo colgado de la encina, y el juicio de Dios comienza. De uno y otro extremo de la liza salen los dos paladines, guardando el pecho tras los escudos de bronce. Se acometen con violencia, y relumbran sus espadas al choque. Al segundo encuentro, el conde Federico cae herido, y el caballero desconocido le pone la punta de su espada en la garganta:

—¡Dios ha dado su sentencia contra ti! Tu vida me pertenece. Pero te perdono; arrepiéntete.

Los hombres chocan gozosamente las espadas; los heraldos retiran sus lanzas, y el rey descuelga su escudo de la encina. Sobre el escudo real, el pueblo levanta al vencedor y a Elsa de Brabante, aclamando su inocencia.

Ahora, el conde Federico y la hechicera Ortrudis, despojados de sus riquezas y honores, arrastran su vida miserable pidiendo limosna a las puertas de los palacios.

Elsa y el Caballero del Cisne anuncian sus bodas, y el país de Brabante arde en fiestas para celebrar la felicidad de los esposos.

Pero Ortrudis, llena de hiel y perversa ciencia, no olvida su venganza. Al palacio de Elsa llega a pedir limosna; la princesa, que se siente plenamente dichosa, se conmueve viendo en tan miserable estado a la orgullosa Ortrudis, descalza y hambrienta en la noche. Y la acoge a su lado, como quien acoge una culebra fría al calor de su pecho.

Ortrudis alaba con fingidas palabras la generosidad de Elsa, deseándole larga dicha junto al desconocido.

Arteramente: Con malas artes.

Pero al mismo tiempo vierte arteramente en su alma las primeras dudas con estas palabras:

—Reine muchos años en Brabante el Caballero del Cisne, y quiera el cielo que el mismo misterio que nos lo trajo no nos le arrebate sin que sepamos evitarlo.

Emponzoñan: Envenenan.

Estas palabras emponzoñan el corazón de la princesa. Su amor por el Caballero le hace temer el misterio que le rodea, creyéndose víctima de algún hechizo. Y a medida que la duda se apodera de ella, crece la osadía de Ortrudis, insinuándole nuevas sospechas.

Osadía: Atrevimiento.

¿Por qué no dice su nombre ni su raza el caballero? ¿Tan vergonzoso es su origen que no se atreve a confesarlo? ¿Tan poca fe tiene en la que va a ser su esposa, que ni a ella misma quiere descubrirse?

Perversa: Muy mala.

Elsa arroja de su lado a la perversa Ortrudis, tapándose los oídos para no escuchar tales palabras. Pero su corazón tiembla de dudas y de miedo, y la risa desaparece de sus labios.

Hoy se celebran las bodas de Elsa de Brabante y el Caballero del Cisne. Acaban de tocar diana los centinelas de las torres. En la ancha plaza, frente al templo, congrégase el pueblo brabanzón, aprestándose contra la doble hilera de soldados que guarda el paso del cortejo nupcial.

Del palacio de las mujeres sale la hermosa Elsa, deslumbrante de blancura, seguida de una larga fila de doncellas. Del palacio de los caballeros sale el desconocido, seguido de sus pajes y escuderos. Ante las gradas del templo se juntan y se cogen las manos.

Paje: Criado joven.

Harapiento: Vestido con ropas viejas, sucias y rotas.

De pronto, un mendigo harapiento se adelanta y se lanza a las gradas altas gritando. Es el conde Federico, excitado por las palabras y consejos de su esposa:

—¡Atrás, impostores! Escúchame, pueblo de Brabante. El fallo de Dios fue profanado por un sortilegio. Cuando ese hombre me venció en el campo del juicio, nadie se atrevió a desenmascararle diciendo estas sencillas palabras: «¿Quién eres tú?». Nadie le conoce; un cisne le trajo misteriosamente, y sus artes de magia le dieron el triunfo. Un hombre así no puede ser nuestro rey. ¡Que declare su nombre y su raza! ¡Que nos descubra su origen! Si no, aquí, delante del pueblo, ¡yo lo acuso de impostor!

Sortilegio: Encantamiento.

A estas palabras, millares de manos se alzan furiosas contra Federico, y el tumulto del pueblo le rodea amenazador. El caballero calma a todos levantando su mano, y dice:

Impostor: Suplantador.

Tumulto: Follón.

—Nobles brabanzones, cuando llegué a vuestro país sólo una cosa pedí públicamente: que mi secreto fuera respetado. Jamás conviviré con aquel que no tenga fe en mí. No se ha de contestar al miserable que me interroga. Pero si vosotros quisierais descubrir el misterio, tampoco a vosotros os responderé. Sólo a Elsa contestaré. Que ella me pregunte.

Y Elsa respondió poniéndole su mano sobre los labios:

—Nada necesito saber. Tengo fe en ti, Caballero del Cisne.

El pueblo prorrumpió en aclamaciones; las puertas se abrieron de par en par, y el cortejo nupcial penetró en el templo.

Prorrumpir: Decir en voz muy alta.

Sentados sobre el lecho, con las manos enlazadas, están los esposos. Por el ventanal, sobre el jardín, se ve un gran cuadro de noche clara, con flores y estrellas.

Habla Elsa en voz baja:

—Tú, caballero desconocido de todos, no eras desconocido para mí. En sueños te vi antes sobre tu barca encantada, el mismo día que el niño Godofredo desapareció en el bosque. Desde entonces te amaba. ¡Qué desdicha no poder, aquí a solas, bendecir tu nombre!

—¡Elsa!

—Tú me salvaste una vez de la vergüenza y de la muerte. Si un día te amenazara a ti un peligro, ¡qué felicidad poder dar mi vida por salvarte! ¿Nunca me abandonarás, esposo querido? ¿No volverá a arrebatarte de mi lado el cisne que conducía tu barca?

—Calla, Elsa; no temas.

—Me da miedo el misterio que te envuelve. Por milagro apareciste, y temo que milagrosamente desaparezcas también, sin que yo pueda hacer nada por evitarlo. ¿Tan terrible es tu secreto, esposo mío?

—No temas; nada tenebroso hay en mi vida. Vengo de un país de luz.

—¡Oh! ¿De cuál? Tus palabras me llenan de confusión. ¿Por qué a tu propia esposa no puedes decir tu nombre?

—No me preguntes. Guarda siempre la fe jurada.

—No te dé miedo descubrirte a mí, que jamás mis labios traicionarán tu secreto. ¿De qué país vienes? ¿Cuál es tu nombre?

A estas palabras, el caballero se yergue, solemne y grave. Su mirada severa aplasta a la infeliz.

—¿Qué has hecho, Elsa? La felicidad ha huido de nosotros. Más fuerte ha sido en ti la curiosidad que el amor y los juramentos. Desdichada: engalánate con tus blancas vestiduras y vete al amanecer ante la encina de los juicios. Allí, delante del rey y del pueblo, sabrás mi nombre y mi raza.

Y lleno de amarga tristeza, abandona la estancia lentamente, mientras Elsa llora sobre el lecho.

En la ancha pradera, a orillas del Escalda, se agolpa el pueblo en torno a la encina. El rey Enrique preside la asamblea, a la sombra del árbol sagrado.

Elsa llega, blanca y fría, sostenida por sus doncellas.

El caballero se adelanta hasta la encina, con su armadura de plata, su casco de largas crines y su capa blan-

ca, donde hay bordada una paloma. Y con voz firme
habla así:

—Rey Enrique, pueblo de Brabante, escuchad: ante
vosotros, lleno de dolor, yo acuso de perjura a esta mu- *Perjura: Que ha*
jer, la que ama mi corazón. Contra el juramento que *jurado en falso.*
aquí me hizo, ha querido saber ni nombre y mi patria.
Y yo voy a declararlos públicamente. ¿Quién de vosotros se preciará de ser más grande que yo?

Un profundo silencio se hace en la pradera. Elsa,
desfallecida, cae de rodillas sobre la hierba. El caballero continúa:

—Hay en las selvas de Alemania, en un lugar sagrado,
un castillo de luz llamado Monsalvat. Allí se guarda la
copa de la Sagrada Cena, que custodian los hombres pu-
ros de corazón. Una celeste paloma vuela hasta la copa
todos los años para renovar su esplendor. ¡Es el santo
Graal! Los caballeros que lo guardan quedan investidos
de celestial poder y caminan invencibles por el mundo,
defendiendo a los inocentes y los débiles. Pero deben, en
cambio, guardar impenetrable el misterio de su vida. Y el
día que se descubre, la ley severa del Graal les ordena regresar de nuevo a su país. De allí vine yo a defender a
vuestra Elsa. Mi nombre es Lohengrin; mi padre es Parsifal[5], el santo rey del Graal. Y ahora, pueblo de Brabante,
adiós; mi ley me ordena partir al descubrirse el misterio.

Un grito desgarrador se oye en la pradera. Elsa se
arrastra de rodillas a los pies de Lohengrin. El pueblo
aclama al héroe sagrado, suplicándole que permanezca
a su lado.

Lohengrin impone silencio a todos, y besa, llorando, a la pobre Elsa, que se retuerce de dolor a sus pies.

Entonces, sobre las aguas del río, aparece el cisne re-
molcando la barca encantada. Lohengrin acaricia el

---

[5] Casona resume aquí la mítica historia del *santo Graal*, grial o cáliz, usado por Jesús en
la última cena, guardado y custodiado en el castillo de *Monsalvat* por *Parsifal*, después de que
este legendario héroe recuperara de manos del malvado Klingsor la sagrada Lanza que había
atravesado el costado de Cristo en la Crucifixión. Una historia recreada por Wagner en su
ópera *Parsifal*, aunque su orígen está en el relato de Chrétien de Troyes antes mencionado.

cuello del cisne tristemente, y volviéndose al pueblo, habla por última vez:

—He aquí el pobre cisne, que sufrirá aún más que yo por el perjurio de Elsa. Transcurrido un año de fe a vuestro lado, el cisne se hubiera salvado del sortilegio que le encadena y hubiese recobrado su forma humana. Porque sabed todos que este cisne es el hermano de Elsa, el príncipe de Brabante.

Perjurio: Delito de jurar en falso.
Sortilegio: Encantamiento.

Al oír esto, abriéndose paso a empujones, avanza la bruja Ortrudis con los ojos llameantes de gozo infernal gritando:

—Yo fui quien le robó en el bosque y le transformó en animal, sujetándole al cuello una brida de oro. ¡Llora a tu príncipe, pueblo de Brabante! Matadme si queréis; nadie me quitará el placer de mi venganza.

Entonces aparece en el aire la blanca paloma del Graal y comienza a volar sobre la barca. Al verla, Lohengrin cae de rodillas, y comprendiendo el celeste aviso, corta con su espada las bridas de oro. El cisne se sumerge en el agua, y en su lugar aparece un hermoso adolescente: es el príncipe Godofredo.

Un grito de admiración conmueve toda la pradera. El joven Godofredo se adelanta a saludar a su pueblo y abraza luego a su hermana, que le besa, llenándole de lágrimas.

Lohengrin sujeta las bridas al cuello de la paloma, y, conducida por ella, la barca se desliza río abajo hacia el mar.

El pueblo despide tristemente al héroe. Elsa vuelve sus ojos hacia el río y cae desmayada en brazos de su hermano.

La barca encantada se interna en el mar, y ya solo se ve a lo lejos, relumbrando al sol, la armadura de plata de Lohengrin[6].

---

[6] No hace falta subrayar la belleza plástica de estas escenas finales que, combinadas con la música de Wagner, constituyen uno de los placeres estéticos más refinados que pueden disfrutar los amantes de las artes. Se trata además del clímax de la ópera wagneriana.

Héctor y Aquiles

La Ilíada *es el más antiguo poema épico*[1] *de la literatura universal. Lo compuso, hace tres mil años, un anciano poeta ciego, llamado Homero, gloria de Grecia. Y los rapsodas*[2], *sus discípulos, lo contaron por los caminos y los campamentos, conservando para la inmortalidad, por la belleza de su palabra, el recuerdo de los dos grandes héroes de la guerra de Troya: Aquiles, el de los pies ligeros, y Héctor, domador de caballos.*

H ACE NUEVE LARGOS AÑOS que el ejército griego acampa, junto a sus negras naves, frente a las murallas de Troya. Durante tanto tiempo, sobre la franja de tierra que se extiende entre las murallas y el mar, se han desarrollado centenares de combates, donde se han mezclado héroes y dioses, sin que la victoria acabe de decidirse por unos ni por otros.

Fuertes son los griegos de largas cabelleras; los dirige Agamenón, rey de hombres[3], y a su lado combaten los más brillantes héroes de las islas: el gran Diomedes,

---

[1] El deseo de contar o escuchar historias constituye un rasgo común del ser humano a lo largo de las distintas épocas y civilizaciones. En la cultura grecolatina y en las literaturas de occidente esta necesidad se satisfacía a través del género épico, que en sus orígenes se valía del verso, dando lugar a las epopeyas y a los cantares de gesta. Con el paso del tiempo se usará preferiblemente la prosa para la función de narrar, surgiendo así en el siglo XVI lo que se conoce como la novela moderna.

[2] Rapsoda era el que en la antigua Grecia se ganaba la vida recorriendo cortes y pueblos recitando poemas épicos, semejante función desarrollaban los aedos.

[3] Entre los rasgos del lenguaje épico destaca el uso de fórmulas fijas que facilitaban la memorización del poema por parte de los rapsodas o juglares: «de largas cabelleras» y «rey de hombres» se repetirán con mucha frecuencia cuando se nombre a los griegos y a Agamenón.

de indomable valor; el gigantesco Áyax, de ancho escudo; el prudente Ulises, rico en sabiduría, y el héroe de los héroes, Aquiles, el de los pies ligeros, hijo de una diosa del mar, que al nacer le bañó en fuego celeste, haciendo su cuerpo invulnerable al hierro, excepto el talón por donde le tenía cogido al sumergirle en el baño.

Pero fuertes son también los troyanos, de tremolantes cascos, endurecidos en el largo asedio. El venerable Príamo, de barba blanca, es su rey. Con ellos combaten el divino Eneas, que ha de fundar el más vasto imperio del mundo, y los hijos de Príamo: París, el más bello de los hombres, y Héctor, domador de caballos, el héroe amado de su pueblo, cuya poderosa lanza ha sostenido la esperanza de los troyanos durante nueve años de lucha.

Tremolante: Que se agita al viento.

Asedio: Cerco.

Los dioses olímpicos también toman parte en el combate, protegiendo con su invisible poder a uno y otro campo. Minerva, la de los ojos claros, diosa de la sabiduría, y Juno, reina del nevado Olimpo[4], combaten al lado de los griegos. La blanca Venus, diosa del amor, y el fiero Marte, dios de la guerra, pelean al lado de los troyanos.

La belleza de una mujer es la causa de tan cruel guerra. Helena se llama, esposa de Menelao, rey de Esparta, la cual fue raptada de su patria por el amor de Paris, el brillante príncipe troyano, y permanece a su lado, tejiendo tapices de púrpura en el palacio de Príamo.

Púrpura: Color rojo intenso.

Hombres y dioses luchan día tras día frente a los muros de Troya, y la victoria no acaba de decidirse. Hambrientos y tristes están los troyanos, llorando el infortunio que la belleza de Helena ha traído sobre la ciudad. Y cansados de la inútil lucha están también los griegos, que acampan junto a sus negras naves de corva proa, cuyos maderos y cordajes se pudren carcomidos de algas y agua salada.

Corva: Curva.

Proa: Parte delantera de un barco.

Cordaje: Cuerdas.

---

[4] Macizo montañoso griego donde, según la mitología, habitaban los dioses.

Un día, el rey Agamenón injurió gravemente al héroe más valiente de sus ejércitos, al terrible Aquiles, arrebatándole una hermosa esclava ganada como botín en la batalla. Ante tal injuria, la cólera del héroe se desató imponente y habló así al orgulloso rey:

—¡Tu codicia te perderá, rey Agamenón, corazón de ciervo! Por vengar a tu familia, ultrajada por el rapto de la bella Helena, abandoné mi patria y combatí a tu lado. Pero si este es el trato que das a tus valientes, yo te abandono a tus fuerzas. Ni yo ni mis esforzados mirmidones pelearemos más junto a ti. Por este mi cetro, que antes fue árbol, lo juro: tan cierto como él no volverá a ser verde ni a dar hojas ni frutos, tus griegos han de acordarse de mí cuando yo no luche a su lado y caigan a centenares bajo el hierro de Héctor, el temido héroe de Troya. Así habló Aquiles, el de los pies ligeros, golpeando furioso la tierra con su fuerte cetro remachado con clavos de oro. Y dicho esto se retiró a su tienda de troncos de abeto, adornada de escudos y pieles, y maldiciendo al rey, comenzó a despojarse de su brillante armadura, arrojó su pesado escudo y su larga lanza de bronce, y lloró a su bella esclava con lágrimas amargas, pidiendo venganza a los dioses.

Al saber estas noticias, el júbilo y la esperanza cundieron entre las filas troyanas, al mismo tiempo que el desaliento se apoderaba de los griegos, abandonados por el más grande de sus héroes. Muchos pensaron que allí era acabada la guerra, y ardiendo en deseos de regresar a sus hogares, corrieron apresuradamente hacia las cóncavas naves, varadas en la orilla, dispuestos a botarlas al mar para partir.

Pero el prudente Ulises[5], empuñando el cetro de Agamenón, pastor de hombres, y arrojando al suelo su manto, corrió hacia las naves clamando:

Mirmidón: Hombre muy pequeño.

Cetro: Vara o bastón corto que llevaban los reyes como símbolo de su dignidad.

Abeto: Árbol muy corriente en Europa; en las tierras del norte se usa como árbol de navidad.

Varadas: Detenidas.

[5] Ulises, rey de Ítaca, famoso por su astucia e inteligencia, se convertirá en el protagonista de la otra epopeya de Homero: la *Odisea.* Se narra allí el accidentado regreso a su reino de Ítaca tras la conquista de Troya y la venganza que ejecuta al llegar contra los pretendientes que habían tratado de arrebatarle la esposa y el trono.

—¡Deteneos, héroes y príncipes de Grecia! ¿Qué desaliento o qué miedo puede impulsaros a abandonar así, como medrosas mujeres, el lugar donde tantos hermanos vuestros han perecido? El triunfo será nuestro al fin y en bien corto plazo. Un portento nos lo anunció cuando emprendimos el camino de Troya. Recordadlo: bajo un árbol hacíamos libaciones y sacrificios a los dioses, implorando su apoyo. De pronto, un dragón rojo salió del altar y saltó al árbol, donde había un nido de gorriones con ocho crías. La madre piaba angustiada sobre ellos, y el dragón devoró, uno tras otro, a los ocho polluelos y a la madre, quedando luego convertido en piedra. Esto quería decir el prodigio: lo mismo que el dragón devoró entre gemidos a los nueve pájaros, nosotros lucharemos con dolor nueve años. Al cabo de este tiempo, el triunfo será nuestro y Troya será destruida. Recordadlo y empuñad nuevamente las armas, héroes de Grecia. El triunfo será nuestro; el noveno año del asedio va a cumplirse.

Dijo el prudente Ulises, y sus palabras fueron acogidas con aclamaciones por los griegos, que, abandonando de nuevo las naves de corva proa, vuelven al campamento, empuñando sus lanzas y disponiendo para el combate los ágiles caballos y los carros sonoros.

Aquel día fue pródigo en hazañas por una y otra parte y rico en sangre de valientes. Abrazados y revueltos yacían por tierra amigos y enemigos.

Paris, el raptor de la bella Helena, culpable de la guerra, peleaba entre sus enardecidos troyanos, hermoso como un dios. De sus hombros colgaba una piel de leopardo, ceñían sus piernas fuertes grebas con hebillas de plata, su casco tremolaba al viento las largas[6] crines y blandía en sus manos dos afiladas lanzas de bronce.

Medrosas: Atemorizadas.

Libaciones: Actos de probar una bebida y luego derramarla en ofrenda a los dioses.

Grebas: Piezas de la armadura que cubrían las piernas.

Tremolar: Agitarse al viento.

Blandir: Mover con aire amenazador.

---

[6] Otro destacado rasgo del lenguaje de estos poemas eran los epítetos épicos, que servían para caracterizar rápidamente a un personaje, lugar u objeto: «la bella Helena», «afiladas lanzas»; o en la Edad Media «el buen Campeador», «burgalés cumplido», referidos al Cid.

Al verle en el campo, Menelao, el esposo de la bella
Helena, se lanzó hacia él, sediento de venganza, como
el león contra el ciervo de enramadas astas. Pero la   *Asta:* Cuerno.
blanca Venus, viendo en peligro a Paris, su héroe predilecto, lo envolvió en una espesa nube, escondiéndo-
le a los ojos de su adversario, al mismo tiempo que la
flecha de un arquero hería a traición a Menelao.

Héctor, el del tremolante casco, el fuerte domador
de caballos, orgullo y sostén de Troya, sembraba el espanto entre las filas griegas. Nadie podía resistir su empuje, semejante al del huracán en el bosque[7], y su hermano Paris, enardecido por la presencia del héroe,
también luchaba esforzadamente a su lado.

Tal era el ardor de Héctor, que Minerva, la de los
ojos claros, tuvo miedo de que su brazo decidiera en
aquel día la victoria, y para evitarlo infundió en su corazón una loca soberbia, que le llevó a suspender la batalla, desafiando a los héroes griegos a luchar contra él
solo, uno por uno.

Héctor dirigió a sus enemigos estas aladas palabras:

—Si vuestro campeón me vence en lucha leal, sean
suyas mis armas, y entregue mi cadáver a los míos para
que le hagan los honores fúnebres. Yo prometo hacer
lo mismo si el triunfo es mío.

Un gran silencio reinó entre los griegos. Ante sus
nobles palabras todos sentían vergüenza de rechazar el
desafío; pero pocos se atrevían a aceptarlo.

Agamenón convocó a sus héroes, y nueve se ade-
lantaron a luchar contra Héctor. Echadas las suertes,
fue designado el gigantesco Áyax, el cual, orgulloso de
pelear con tan esclarecido guerrero, avanzó hacia Héc-   *Esclarecido:*
tor, guardándose detrás de su inmenso escudo.   Inteligente
                                                          y brillante.

Héctor arrojó su larga lanza de bronce, atravesando
el escudo de Áyax, pero la afilada punta no llegó a la
carne. Entonces el gigante lanzó la suya con vigoroso

---

[7] Ejemplo de hipérbole, muy frecuente en la épica para destacar la personalidad y las
acciones de los héroes.

impulso y atravesó el escudo de Héctor y la coraza, rasgándole la túnica y haciendo saltar la negra sangre. Pero no por eso se retiró Héctor del combate; sus manos cogieron un peñasco y lo lanzaron violentamente contra el escudo de Áyax, que resonó al fuerte golpe como un trueno. Luego desenvainaron las espadas, y acercándose uno a otro se disponían a seguir con ellas la lucha. Pero la noche venía encima y los heraldos suspendieron el combate, reconociendo el valor igual de griegos y troyanos. Entonces Héctor pronunció estas nobles palabras:

—Suspendamos, pues, el combate, ya que la noche se acerca. Pero separémonos como enemigos leales, haciéndonos ricos presentes, para que los tiempos venideros puedan decir en justicia que Héctor y Áyax han sabido pelear como leones y tratarse en la tregua con lealtad.

Y acercándose uno a otro, Héctor regalo a Áyax su espada guarnecida con clavos de plata. Áyax regaló a Héctor su tahalí de púrpura.

Guarnecida: Adornada.

Tahalí: Cinturón del que colgaba la vaina de la espada.

Desde que Aquiles, el de los pies ligeros, se retiró colérico a su tienda, los héroes griegos mueren a centenares delante de Héctor, y los troyanos se crecen día por día, a pesar de las portentosas hazañas del gran Diomedes y la fuerza del gigantesco Áyax y el valor del prudente Ulises, que habían jurado no regresar a su patria hasta que en Troya no quedase piedra sobre piedra.

Agamenón, rey de hombres, comprende al fin que el triunfo no estará de su parte mientras el terrible Aquiles no vuelva a combatir en sus filas. Y abatiendo su orgullo, decide ofrecerle nuevamente su amistad, devolviéndole la bella esclava que le arrebató y el regalo de sus carros de guerra, sus tesoros y lo mejor del botín que se tome el día en que las murallas de Troya se rindan. Áyax y Ulises van a la tienda del héroe a llevar este mensaje, precedidos de los heraldos.

Abatir: Eliminar.

Heraldo: Mensajero.

A la puerta de su tienda de ramas de abeto encuentran al divino Aquiles, cantando antiguas hazañas de guerra al son de una lira de plata[8]. Su fiel amigo Patroclo le escucha en silencio, tendido a su lado en el suelo. El héroe recibe a los mensajeros, ofreciéndoles las libaciones y los manjares de la hospitalidad. Después escucha el mensaje de Agamenón, y sin ceder en su cólera responde estas orgullosas palabras:

—Los presentes de Agamenón me son odiosos. Soy tan poderoso como él, y para nada quiero la amistad de su corazón cobarde. Nada haré en favor de los griegos hasta que los troyanos lleguen en su victoria hasta la puerta misma de mi tienda. Pero ¡ay de Troya ese día!

Con estas palabras los mensajeros se retiraron llenos de tristeza a la tienda de Agamenón, rey de hombres.

Libaciones: Actos de probar una bebida y luego derramarla en ofrenda a los dioses.

Triste amaneció hoy el día para los griegos. El gran Diomedes, el prudente Ulises y el mismo Agamenón están heridos por la flecha y la pica. A su alrededor caen amontonados los mejores soldados de Grecia, y los troyanos, guiados por el tremolante penacho de Héctor, llegan ya hasta las mismas naves, lanzando teas ardientes para incendiarlas.

Pica: Lanza larga.

Penacho: Adorno de plumas colocado en los cascos.

Teas: Antorchas.

Patroclo, conmovido ante el dolor de sus amigos, penetra en la tienda de Aquiles, que escucha impasible el fragor del combate. Y derramando ardientes lágrimas le habla estas aladas palabras:

—¡Mal empleas tu valor, cruel Aquiles, cruzándote de brazos ante el dolor de los nuestros! Solo la roca y el mar han podido engendrar tan duro corazón. Los mejores de nuestros héroes están heridos por la aguda flecha y la afilada lanza. Sólo Áyax resiste aún desde las naves, mientras los otros se revuelcan de terror ante Héctor, matador de hombres. Queda tú en la tienda si quieres cumplir tu palabra hasta el fin. Pero déjame a mí tus armas y tu carro; yo me presentaré con ellos en

---

[8] Como ocurría en «Nala y Damayanti», se describe aquí una escena que atestigua la transmisión oral de la literatura y su función social en la antigua civilización griega.

el combate, y los troyanos, confundiéndome contigo, retrocederán ante tu espada.

Dijo, y Aquiles, conmovido por el dolor de su fiel amigo, accedió a ello, entregándole no solo sus armas, sino también el mando de los hombres, los terribles mirmidones, que, lanzando gritos de júbilo, se aprestan al combate.

Patroclo toma las armas de Aquiles. Ajústase a las piernas sus grebas de broches de plata, protege su pecho con la labrada coraza, cuelga de su hombro la fuerte espada guarnecida de clavos de plata, embraza el ancho escudo y cubre su cabeza con el brillante casco, empenachado de largas crines de caballo. Solo deja la poderosa lanza, que nadie más que Aquiles puede manejar[9]. Y así armado, en el veloz carro de inmortales caballos, se lanza al combate seguido por los terribles mirmidones, a tiempo que en las naves griegas comienzan a prender el incendio.

Labrada: Adornada con relieves.

Al divisar el carro y las armas de Aquiles, el terror se apodera de los troyanos, que comienzan a huir en todas direcciones, retirándose de las naves y acogiéndose al amparo de las murallas.

Héctor, temblando de cólera, grita y combate animando a los suyos y conteniendo el ímpetu de los mirmidones con su lanza de bronce y su fuerte escudo guarnecido de pieles de toro.

El carro de Patroclo atropella a los que huyen; sus gritos y su lanza siembran la confusión en torno suyo. Los caballos troyanos, desuncidos, relinchan y galopan desbocados, como los torrentes que se despeñan bramando por las montañas cuando la tempestad descarga su lluvia sobre la negra tierra[10].

Desuncidos: Desatados del carruaje.

---

[9] Casona incorpora con habilidad el espíritu guerrero y heroico de la *Ilíada*, que se manifiesta, entre otros modos, a través de la minuciosa descripción de las armas y los momentos previos al combate.

[10] La imperecedera belleza de este poema homérico radica con frecuencia en la brillantez de sus metáforas y comparaciones, como esta, muy bien adaptada por Casona, para describir el descontrol de los caballos troyanos.

Sólo un héroe troyano se atreve a hacer frente a Patroclo, y cae desplomado bajo su lanza como la encina que se corta en el monte para tallar un mástil de navío. Corto y brillante es el triunfo del héroe, que llega en su empuje hasta las mismas murallas. Un venablo le hiere, y las manos de los dioses desatan las correas de su armadura.

Mástil: Palo mayor de un navío.

Venablo: Lanza corta.

Por fin, el carro de Patroclo y el de Héctor se encuentran, y ambos se miran como el león y el jabalí que en la montaña se disputan un manantial. Pero Patroclo está herido: sus ojos se ciegan y el casco rueda de su cabeza. Así va a caer, desarmado, ante la lanza de Héctor, que se hunde en su carne. Patroclo, derribado en el suelo, pronuncia estas amargas palabras:

—No te alabes de mi muerte, orgulloso Héctor, que desarmado llegué a tus manos. Tampoco tú vivirás largo tiempo.

Así dijo, y la muerte le cubrió con su manto.

Cuando Aquiles supo por un heraldo la muerte de Patroclo, un gran grito de dolor estalló en su corazón. Derramó con ambas manos ceniza sobre su cabeza y se tendió llorando sobre el polvo.

Los mirmidones llevaron hasta su tienda el cadáver del héroe. Iba desnudo, porque Héctor, al vencerle, se apoderó como botín de su brillante armadura. Aquiles lloró, poniendo sus manos sobre el pecho del amigo. Mandó poner al fuego un gran trípode para calentar agua con la que lavar la sangre. Lavó el cadáver y lo ungió con aceite. Después, colocándolo sobre el lecho, lo envolvió con una fina tela de hilo. Y toda la noche la pasó a su lado.

Trípode: Soporte de tres pies.

Ungir: Lavar y perfumar.

Al día siguiente, furioso y terrible como nunca, el divino Aquiles, resplandeciente de nuevas armas fabricadas por los dioses, entraba en la batalla para vengar la muerte de su amigo.

El hermoso Héctor, domador de caballos, acudía al palacio de Príamo para despedirse de su esposa y de su hijo. Los ancianos y las mujeres lloraban, presintiendo un día de desgracia para los suyos. También lloraba la hermosa Helena por la suerte de Héctor, el único héroe que aún no la odiaba por la desgracia que su funesta belleza había traído sobre Troya.

Funesta: Que acarrea desgracias.

Pero Andrómaca, la esposa de Héctor, no estaba en el palacio bordando tapices en medio de sus esclavas, sino que desde las altas murallas, con su hijo en brazos, miraba ansiosa hacia el campo de batalla. Al encontrarse los esposos se abrazaron tiernamente. Héctor fue a besar a su hijo, pero el niño, asustado por el brillo de las armas y el tremolante penacho de crin de caballo, rompió a llorar de miedo, ocultando su cabeza contra el pecho de su madre. Entonces, olvidados por un momento del horror de la batalla, los esposos rieron, abrazados sobre el cuerpo del pequeñuelo.

Héctor se quitó el casco de largas crines, que dejó en el suelo, y tomó en sus brazos al niño, besándole con ternura. Andrómaca, sonriendo en medio de sus lágrimas, miraba a su brillante esposo y al niño, tan pequeño en sus brazos, mientras al otro lado de la muralla corría la sangre de los héroes.

—¡Desdichado Héctor, esposo mío! —clamaba Andrómaca—. No te atrevas a luchar con el terrible rey de los mirmidones. Aquiles mató a mi padre en el sitio de Tebas[11], y mis siete hermanos han perecido también al empuje de su fuerte lanza. Ten compasión de tu esposa y de tu hijo, noble Héctor. No salgas hoy al combate; no te enfrentes con el invulnerable Aquiles, protegido por los dioses.

—Por la gloria de mi padre y de Troya —respondió Héctor—, no puedo retroceder ante Aquiles. Presiento que el fin de nuestra ciudad se acerca. Entonces nuestras mujeres serán condenadas a la esclavitud y nuestros

---

[11] Ciudad griega que según la tradición fue conquistada después de un largo asedio por los Epígonos, hijos de Argos.

guerreros serán pasto de los perros junto a las cóncavas naves. ¡Cierre la negra muerte mis ojos antes de presenciar tanta desdicha!

Y así diciendo, Héctor se cubrió nuevamente con su casco, y dando el último adiós a Andrómaca y a su hijo se alejó hacia el campo de batalla.

Muchos guerreros han perecido ya bajo la lanza del terrible Aquiles. Tantos, que las aguas del río Escamandro, que desemboca junto a las naves, se desbordan llenas de sangre. El héroe huye del río desbordado y llega, acorralando a los troyanos, hasta las mismas murallas. Allí sus ojos se encuentran con los de Héctor, y Aquiles lanza un alarido de júbilo al ver al matador de Patroclo. Su lanza es semejante al rayo; su escudo de cinco capas, de oro y bronce, con abrazaderas de *Abrazaderas:* Piezas plata, relumbra al sol, y su aspecto solo es comparable *para enganchar.* al de Marte, dios de las batallas.

Héctor siente desfallecer su fuerte corazón ante el aspecto terrible y deslumbrante del héroe griego. Da unos pasos atrás, cegado por su esplendor, pero Minerva, la diosa de los ojos claros, queriendo perderle, se presenta a él revistiendo la forma de su hermano y le dice estas palabras:

—Ánimo, mi buen hermano: luchemos juntos contra Aquiles.

Héctor, confortado por la presencia de su hermano, hace frente al héroe divino, y antes de trabar combate le habla estas aladas palabras:

—Escúchame, brillante Aquiles. Uno de los dos ha de morir aquí. Si la victoria es mía, te despojaré de tus armas, pero no insultaré tu cadáver, que entregaré a los tuyos para que lo lloren. Prométeme tú lo mismo y sean los dioses testigos de nuestro pacto.

Pero, mirándole con torva faz, respondió Aquiles, el *Torva:* de los pies ligeros: *Amenazadora.*

—No me hables, Héctor, de pactos que no pueden existir entre tú y yo, como no existen entre los leones y los hombres, ni entre los lobos y los corderos. Tú

moriràs hoy bajo mi lanza y los perros y los buitres
Ignominiosamente:
De forma
vergonzosa y
humillante. destrozarán ignominiosamente tu cadáver, que arras-
traré tres veces alrededor de la tumba de Patroclo.
Y así diciendo, arrojó con vigoroso impulso su larga lanza; pero Héctor se inclinó a tiempo, y la lanza de
Aquiles se clavó temblando a su lado en el suelo. Minerva la recogió y se la devolvió a Aquiles sin que Héctor se diera cuenta.

El troyano lanzó la suya, que se clavó en el escudo
Mirmidón: Hombre
muy pequeño. del mirmidón, sin alcanzar a herirle. Volviose a su hermano para pedirle una nueva lanza, pero su hermano
había desaparecido. Entonces comprendió Héctor que
todo había sido un engaño de los dioses, y que la hora
de su muerte se acercaba. Y dispuesto a morir, empuñó su fuerte espada y se arrojó sobre Aquiles como el
águila se lanza impetuosa desde las nubes sobre su
presa en la llanura.

Pero Aquiles le esperaba a pie, firme, y por las junturas de la coraza le hundió su larga lanza en la garganta. Así cayó Héctor, arañando con sus manos el polvo. Y habló al vencedor con apagada voz:

—Por tus padres te lo ruego, divino Aquiles: respeta mi cadáver, entrégalo a los míos y que los troyanos
lo lloren en mi ciudad.

Dicho esto, la muerte le cubrió con su manto. Y su
alma abandonó los miembros, llorando, porque dejaba
un cuerpo vigoroso y joven.

Pero Aquiles no quiso escuchar su ruego. Le despojó de la ensangrentada armadura y llamó a los griegos,
que acudieron, hiriendo todos el cadáver. Después,
con tiras de piel de buey, le ataron por los pies al carro
del vencedor y le arrastraron hasta las naves, chocan-
do su cabeza contra el suelo y esparcida por el polvo
su larga cabellera.

Desde las murallas, Andrómaca y sus padres con-
templaban el terrible espectáculo, desgarrando sus vestiduras y llorando lágrimas desesperadas.

Muchos días lloró aún Aquiles la muerte de su amigo Patroclo, insultando el cadáver de Héctor. Pero los dioses, compadecidos del héroe vencido, cuidaban de noche su cuerpo, lavándolo y cerrando sus heridas.

Por fin, una noche hasta la tienda de Aquiles llegó el venerable Príamo, pastor de hombres y padre de Héctor. Y arrojándose a los pies del héroe, abrazó sus rodillas y besó sus manos, suplicándole:

—¡Apiádate de mi vejez, oh poderoso Aquiles! Acuérdate de tu padre, que tiene la misma edad que yo, y conmuévate el dolor de un anciano. He engendrado muchos hijos valientes, que han muerto defendiendo a su ciudad, y el más hermoso de todos, mi querido Héctor, gloria y sostén de Troya, yace aquí, insepulto, como un perro, junto a tus naves. Devuélveme su cuerpo para que los troyanos lo lloren, rindiéndole el culto debido a los héroes. Apiádate de mí, que por amor de Héctor he hecho lo que ningún otro hombre se atrevería a hacer en la tierra: besar las manos del matador de mi hijo.

Estas palabras conmovieron a Aquiles. Y el cadáver de Héctor, envuelto en una valiosa túnica, fue al fin devuelto a Troya.

Los troyanos lloraron a gritos, por espacio de nueve días, sobre el cuerpo destrozado del héroe, cuya cabeza besaba Andrómaca desesperadamente.

Sobre una inmensa pira, en el campo de batalla, colocaron el cuerpo querido, prendiendo fuego a la leña. Apagaron luego con negro vino la llama y recogieron los blancos huesos y las cenizas en una urna de oro cubierta de púrpura. Y llorando la volvieron en hombros a la ciudad.

Así celebraron los troyanos las honras de Héctor, domador de caballos.

Pira: Hoguera en que antiguamente se quemaban los cuerpos de los difuntos y las víctimas de los sacrificios.

Los nibelungos

Los nibelungos es la obra de los primitivos trovado-
res [1] germánicos; conjunto de leyendas heroicas, donde
se mezclan elementos históricos, fantásticos y mitoló-
gicos. Su origen se remonta a los comienzos de la Edad
Media, época de las emigraciones guerreras sobre el
Sur. En su narración nos hemos atenido preferente-
mente a la fabulación y estilo de las sagas [2] primitivas,
excepto en algunos nombres y escenas en que hemos
acogido la versión dramática, más difundida entre no-
sotros, de Richard Wagner [3].

E N LAS PROFUNDIDADES DE LA TIERRA, en el país de las tinieblas, viven los nibelungos. Son negros y enanos; suyo es todo el oro amarillo de las entrañas de la
tierra, y el oro rojo del Rin, que robaron a las ninfas. Y
su rey tiene un anillo maldito, que da la muerte al que
lo lleva.

En la corteza de la tierra viven los gigantes y los héroes. Fafnir, el gigante, conquistó el tesoro de los nibelungos y el mágico anillo, y, convertido en un dragón,
guarda su tesoro en el brezal de Gnita. De la raza de los

Ninfas: Divinidades menores que vivían en contacto con la naturaleza: Ríos, lagos, bosques o prados.

Brezal: Lugar poblado del arbusto llamado brezo.

---

[1] Los trovadores eran los que componían poemas en la Edad Media europea; sin embargo, el término se emplea sobre todo para los poetas líricos que entre los siglos XII y XIV
crearon en la región de Provenza, al sur de Francia, un tipo de poesía amorosa que se en-
globa bajo el rótulo de amor cortés.

[2] Se refiere Casona con esta palabra de origen germánico a un tipo de relato en prosa
surgido en los monasterios de Islandia, que servía para contar la historia de determinadas
familias reales del norte de Europa y de sus pueblos respectivos.

[3] Bajo el título de *El anillo del nibelungo*, el músico alemán Richard Wagner agrupó cuatro óperas que desarrollan de principio a fin la leyenda de los nibelungos; se trata de *El oro*
del Rin, La Valquiria, Sigfrido y *El ocaso de los dioses* que ofrecen la síntesis de la mitología germánica y un intento de explicación filosófica del universo.

héroes, los welsas son los amados de los dioses. De ellos nace Sigmundo. Y Sigmundo engendra a Sigfrido, el más sagrado de los héroes. Y en la región de las nubes viven los dioses. Walhalla se llama su morada. Son seres de luz, y Odín, señor de las batallas, los preside.

Fresno: Árbol muy apreciado por su madera clara y elástica.

Los nibelungos, los héroes y los gigantes, se inclinan ante el viejo Odín, cuya lanza de fresno domina el cielo y la tierra.

I
SIGMUNDO

Franco: Pueblo germánico que conquistó la Galia y fundó la monarquía francesa.

Erguirse: Levantarse.

Barón: Título nobiliario.

Odín, el padre de los ejércitos, rey de los dioses, engendró en la tierra una estirpe de héroes, de los que fue el primero Welsa, rey de los francos, el cual engendró una pareja de mellizos: Sigmundo y Signi. La raza de los welsas sobrepujaba a todas las demás en fuerza y hombría, y su destino fue el más brillante y desgraciado que hubo sobre la tierra.

Welsa había mandado construir una sala famosa, en cuyo centro erguíase el tronco de una colosal encina. Sus ramas, cubiertas de flores, formaban el techo de la sala, y su tronco no lo podían abarcar entre diez hombres.

Hunding, rey de Gautlandia, se enamoró de la princesa Signi y la pidió por esposa, a pesar de que el corazón de Signi no estaba inclinado hacia el feroz guerrero.

Dispusiéronse las bodas en la sala, en cuyo centro se erguía la encina. Grandes fuegos ardieron en larga fila. Por la noche, cuando los barones estaban sentados junto a los fuegos, sobre las pieles de oso, entró en la sala un hombre desconocido de todos. Llevaba un gran manto azul y un sombrero de enormes alas echado sobre un ojo. Caminaba descalzo; era muy alto, viejo y tuerto. En la mano llevaba una brillante espada, con la

que se acercó a la encina, clavándola en el tronco con
tal fuerza, que penetró hasta el puño, y habló así a los
barones, atónitos:

—Quien esta espada saque del tronco recíbala de
mí como regalo, y mostrarán sus hechos que nunca
mejor espada manejaron las manos de los hombres.

Dicho esto, el desconocido desapareció. Era Odín,
el dios de luz, padre de los ejércitos.

En seguida se esforzaron todos por apoderarse de la
espada. Pero sus esfuerzos fueron vanos; nadie consiguió moverla. Solo la mano de Sigmundo logró arran-
carla con la misma facilidad con que se arranca del árbol una flor.

Era la más hermosa espada que jamás se viera, y Hunding deseó poseerla a toda costa. Ofreció a Sigmundo
tres veces el peso de la espada en oro; pero Sigmundo contestó con desprecio:

—Como yo, pudiste cogerla cuando estaba clavada
en la encina. Si no lograste hacerlo es que no te corresponde el honor de ceñirla.

Estas palabras irritaron a Hunding, que se vio escarnecido delante de sus barones. Y aquella misma noche meditó su venganza[4].

Al día siguiente dijo Junding que quería aprovechar
el buen tiempo para regresar a su país antes que los
vientos crecientes le cerrasen el mar. Signi, con el alma
llena de tristes presentimientos, le acompañó a viva
fuerza. Y Hunding, al marchar, invitó al rey Welsa y a
Sigmundo a ir a visitarle en su reino a la vuelta de tres
meses.

Por el tiempo convenido partió Welsa con Sigmundo y sus héroes hacia Gautlandia, a hospedarse en casa
del rey su yerno. Ya era de noche cuando tomaron tierra sus barcos.

Ceñir: Llevar,
poseer.

Escarnecido:
Humillado.

---

[4] La venganza (otro sentimiento primitivo, fuerte y de fácil asimilación por parte de los
oyentes) constituye uno de los resortes fundamentales en la acción de estas historias heroicas, legendarias y populares. En «Los nibelungos» desempeña un papel esencial.

Protegida por la oscuridad, llegó Signi a las naves y descubrió a su padre y hermano que Hunding les preparaba una traición y había reunido un gran ejército para aniquilarlos. Pero Welsa se negó a retroceder.

—No temo a la muerte —dijo—, que un día debe llegar para todos. He hecho votos de no retroceder jamás ni por miedo, ni por fuego, ni por hierro. En cuanto a ti, suceda lo que suceda, tu deber es estar al lado de tu esposo.

Así regresó Signi al lado de Hunding. Los welsas permanecieron aquella noche en las naves, y a la mañana siguiente trabaron dura batalla con el ejército de Hunding. Welsa, secundado por la espada sagrada de Sigmundo, animaba con enérgicos gritos a sus escasos hombres, y por ocho veces irrumpió aquel día en las filas enemigas, asestando terribles golpes con sus dos brazos. Pero a la novena vez hubo de sucumbir al número, y allí cayó muerto el rey Welsa con todos sus héroes.

Asestar: Propinar.

Sigmundo fue hecho prisionero; Hunding le arrebató su espada y le reservó un tormento más espantoso que la muerte. Solo y desnudo fue abandonado entre las fieras del bosque, y allí vivió por espacio de varios años, en una caverna, en compañía de los lobos, que aprendieron a respetar su fuerza y su fiereza. Hunding vivía tranquilo creyendo haber aniquilado la temible raza de los welsas.

Fragorosa: Ruidosa.

Un día, extraviado por una fragorosa tempestad, Sigmundo se perdió en la selva, y caminando a la aventura llegó ante la puerta de un palacio. Entró a pedir albergue y halló a una hermosa mujer que, al reconocerle, se lanzó llorando en sus brazos. Era Signi, su hermana, la cual le dijo:

—¡Oh Sigmundo, hermano, todos los días te he esperado desde la muerte de mi padre! Su sangre no ha sido rescatada y aguarda venganza. Hunding ha salido de cacería y pronto regresará. Toma, Sigmundo, la espada que en casa de mi padre desclavaste del tronco de la encina.

Sigmundo abrazó a su hermana, tomó la espada, y bajando a los establos, esperó allí oculto entre la yerba. Poco después se oyeron los cuernos de caza y el ladrido de la jauría, y Hunding, con cien hombres, entró en su palacio. Desciñeron las espadas, se quitaron los cornudos cascos y las pieles de oso y se sentaron a la mesa, llenando las copas de hidromel.

De pronto una puerta se abrió y Sigmundo se lanzó de un salto a la mesa del banquete, dando un grito salvaje.

—¡Welsa, Welsa!

Al reconocerle, el terror se apoderó de todos; pero su espada, rápida como el rayo, no perdonó a ninguno. Allí cayó el feroz Hunding con todos sus hombres.

Después Sigmundo corrió al bosque; con su espada comenzó a derribar árboles, y, llevándolos en sus brazos, los amontonó en la sala del banquete y prendió fuego a todo. Finalmente, llamó a su hermana para que se fuera a vivir con él al bosque. Pero Signi le contestó:

—Ya nada tengo que hacer en el mundo, puesto que la sangre de mi padre está vengada. Ahora sabré cumplir también como esposa muriendo con los míos.

Y así diciendo se arrojó a la hoguera.

Años después, Sigmundo, vencedor en cien combates y poseedor del reino de su padre, se enamoró de Siglinda, la hija del rey Eulimi, la más hermosa y prudente de las mujeres. Y a despecho de muchos otros pretendientes, se casó con ella, que también le amaba.

Entre los pretendientes desdeñados había uno de la estirpe de Hunding, el cual reunió a sus guerreros y se dirigió contra Sigmundo, retándole públicamente. Los enemigos llegaron de Gautlandia en sus barcos. Sigmundo envió a Siglinda al bosque; alzó su bandera y mandó tocar los cuernos de guerra. Su tropa era mucho más pequeña que la de los enemigos. Pero Sigmundo luchaba bravamente a la cabeza; ni broquel ni coraza resistían sus golpes, y repetidas veces rompió las filas contrarias. Largo tiempo duró la batalla. Sig-

Cuerno: Instrumento de viento hecho de cuerno de vaca o buey.

Jauría: Grupo de perros en una cacería.

Hidromel: Agua con miel.

Broquel: Escudo pequeño.

mundo tenía los dos brazos teñidos de sangre enemiga hasta por encima del hombro.

Entonces apareció en el campo de batalla un desconocido. Llevaba un gran manto azul y un sombrero de enormes alas echado sobre un ojo; era muy alto, viejo y tuerto. Avanzó contra Sigmundo y blandió delante de él su lanza de fresno; Sigmundo descargó su espada contra ella, y la espada se rompió en cien pedazos. Entonces se trocó la fortuna, y Sigmundo cayó en la batalla a la cabeza de sus hombres.

Blandir: Mover con aire amenazador.

Por la noche, Siglinda vino a llorarle sobre el campo. Sigmundo, reuniendo todas sus fuerzas, le habló estas palabras:

—Los dioses me han derrotado. Odín no quiere ya que ciña su espada, puesto que la rompió, y ha elegido nuevos héroes. Tú llevas en tu seno un hijo mío que pronto ha de nacer; Sigfrido será su nombre. Cuídalo bien, porque él será el más grande y glorioso de los welsas. Conserva también los trozos de mi espada, que un día vendrá en que se forje con ellos una nueva espada, aún más fuerte y hermosa. Nuestro hijo la llevará, y con ella ha de realizar hazañas que nunca se olvidarán, y su nombre vivirá lo que el mundo dure. Sea este tu consuelo. Adiós, Siglinda, yo te dejo; voy en busca de los amigos que me han precedido en la muerte.

Con estas palabras Sigmundo entró en la agonía. Siglinda estuvo inclinada sobre él hasta que expiró, cuando comenzaba a clarear el día.

Agonía: Momento inmediatamente anterior a la muerte.

II
SIGFRIDO Y EL DRAGÓN

Cuando Sigmundo hubo muerto, volvió Siglinda al bosque, y allí, en gran dolor y soledad, dio a luz un niño. Y en seguida murió. Pero el niño creció, como había vivido su padre, salvaje entre los animales del bosque.

En el bosque habitaba un hábil herrero, conocedor del destino. Era un enano nibelungo[5], llamado Mimir.

Hacia su fragua llegó un día un niño que salía corriendo de la espesura, y cuando Mimir lo vio exclamó lleno de alegría:

—He aquí a Sigfrido, el vástago de Sigmundo; el audaz héroe llegó a mi casa. Gran botín me prometo de este lobezno.

Mimir educó a su lado al pequeño Sigfrido, enseñándole el oficio de la fragua; y cuando el niño hubo crecido, incitó al joven héroe a matar al dragón Fafnir, que custodiaba en el brezal de Gnita el prodigioso tesoro de los nibelungos: montones de oro y joyas, y el yelmo encantado, que tenía la virtud de cambiar el rostro del que lo llevaba puesto. También formaba parte del tesoro el anillo maldito de los nibelungos, que atraía la desgracia sobre quien lo poseyera. El fabuloso tesoro había estado mil años bajo el agua verde del Rin, custodiado por tres ninfas. A ellas lo había robado el rey de los nibelungos. Y a los nibelungos se lo arrebató el gigante Fafnir, el cual, por la maldición del anillo, se transformó en un colosal dragón, que, oculto en el brezal de Gnita, dormía siempre con los ojos abiertos sobre su tesoro.

Fragua: Horno en el que se calientan los metales para modelarlos.

Vástago: Hijo.

Lobezno: Cría del lobo.

Yelmo: Casco.

El astuto Mimir, contemplando el valor indomable del joven Sigfrido, pensaba: «Este lobezno de los welsas es el único sobre la tierra que sería capaz de matar al dragón Fafnir. Si consigo que lo haga, yo lo mataré a él cuando duerma, y el tesoro de los nibelungos será solo mío».

Pero cuando Sigfrido oía contar el cuento del tesoro, se reía; a él nada le importaba el oro, y solo le gustaba saltar por las rocas tocando su bocina de plata y medir su fuerza con los animales del bosque. Luego se burlaba del enano, diciendo:

Bocina: Instrumento de viento.

---

[5] Los nibelungos en la mitología germánica eran unos genios enanos cuyo nombre procede de su rey Nibelung (hijo de la niebla); vivían en las profundidades y poseyeron un gran tesoro que les fue arrebatado por Sigfrido, cuyos guerreros tomaron luego el nombre de los vencidos.

Remendón:
Individuo que
arregla prendas
usadas.

Tajar: Cortar.

Yunque: Pieza de
la fragua sobre la
que se forjan los
metales.

—Viejo, remendón, si quieres que mate al dragón fórjame antes una espada que taje la roca y el hierro. Mimir trabajaba afanosamente por forjar la espada deseada; pero cuando estaba concluida, Sigfrido llegaba saltando del bosque, daba con ella un tajo en el yunque y la espada se rompía.

Un día, en el lugar del bosque donde su padre había muerto, el joven Sigfrido encontró los pedazos de una espada rota. Conoció que eran de la materia más noble y decidió forjar con ellos una espada nueva. Se fue a la fragua, y ante el asombro del nibelungo limó todos los trozos, reduciéndolos a polvo; los fundió luego juntos en el fuego, templó el hierro ardiente en el agua fría del Rin, y cuando la espada estuvo terminada dio con ella un tajo en el yunque, y el yunque se rajó en dos pedazos. Brillaba la espada como el oro, y sus filos parecían de fuego. Sigfrido la blandió alegremente sobre su cabeza, y seguido por el enano se internó en el bosque en busca del dragón.

Al cruzar el Rin vio un rebaño de caballos salvajes. Los espantó a gritos, persiguiéndolos hasta la orilla del río; pero al llegar el agua todos se encabritaron y retrocedieron espantados, menos un potro. Entonces, Sigfrido, alcanzándolo a nado, lo tomó por suyo y le puso por nombre *Grani*. Y a caballo de *Grani* llegó al amanecer del día siguiente al brezal de Gnita.

Allí estaba el dragón tumbado sobre su tesoro, a la entrada de una cueva. Era de colosales dimensiones, parecido en la forma a un lagarto; su baba venenosa corroía la carne y los huesos, y su cola de serpiente, al golpear las rocas, las hacía saltar como el cristal.

Al ver al joven el dragón rugió sordamente y sus ojos lanzaron fuego. Se arrastró hacia él haciendo retemblar la tierra a su paso. Quiso derribarle de un coletazo, pero Sigfrido le hirió en la cola con su espada. Entonces el dragón, lanzando un grito espantoso, se abalanzó de frente contra él para aplastarle con todo su peso. Y Sigfrido aprovechó el momento para hundirle

su espada en el corazón hasta el puño. El monstruo, al sentir la mortal herida, se estremeció y golpeó con la cabeza y la cola a su alrededor desesperadamente, tanto que los árboles saltaban en astillas.

El nibelungo, temblando de miedo, contemplaba la batalla escondido entre los matorrales. Cuando el dragón hubo muerto, Sigfrido limpió la hoja de su espada en la yerba y penetró en la cueva del tesoro. Despreció el oro y solo tomó el casco mágico, que colgó de su cinturón, y el anillo maldito, que se puso al dedo sin conocer la facilidad de su poder.

Después, sintiendo hambre, arrancó el corazón del dragón y lo asó clavado en una espina. Al ir a tocarlo para ver si estaba bien asado se quemó el dedo; llevose el dedo a la boca, y en cuanto la sangre del dragón tocó su lengua comprendió por arte de milagro el lenguaje de los pájaros.

Estaba sentado bajo un tilo, y desde las ramas le habló un abejaruco, descubriéndose su estirpe y su destino:

—De la estirpe de los dioses vienes, Sigfrido; welsas fueron tu padre y tu abuelo. Naciste de Siglinda, abandonada en el bosque, y del rey Sigmundo, muerto en el campo de batalla. Has fabricado tu espada con los trozos de la espada de tu padre, rota por el mismo Odín, dios de las batallas. Fatal te ha de ser el anillo que has conquistado hoy; guárdate de la traición. El triunfo te aguarda, y tu fama será eterna como el mundo. Pero morirás joven, al conocer el amor.

Sigfrido, sin importarle la voz que le hablaba de muerte, se llenó de gozo al conocer su estirpe y saber que la sangre de los welsas corría por sus venas. Luego preguntó al pájaro:

—Dime, buen abejaruco, ¿dónde encontraré el amor?

—Sígueme —respondió el pájaro—. Dormida está la doncella en altas rocas, en la peña de la Corza, rodeada de fuego. Sólo el valiente salvará el cerco de llamas y la despertará de su sueño.

Tilo: Árbol de flor blanca.

Abejaruco: Ave de color vistoso que se alimenta de abejas.

Estirpe: Origen familiar.

Y dicho esto, el abejaruco desplegó las alas. Sigfrido saltó sobre su fiel *Grani* y, abandonando al nibelungo, siguió por el bosque el vuelo del pájaro.

III
AMOR Y MUERTE DE SIGFRIDO

Siguiendo el vuelo del pájaro, Sigfrido cabalgó hacia el Sur y llegó ante la peña de la Corza, rodeada de llamas. Un estrecho desfiladero conducía a la cumbre. Cuando se disponía a subir le salió al paso un desconocido; vestía un gran manto azul y cubría su cabeza con un sombrero de anchas alas; era muy alto, viejo y tuerto. Se colocó delante de Sigfrido, cerrando el paso con su lanza, y le gritó:

Desfiladero: Paso estrecho entre montañas.

—¿Hacia dónde caminas, joven héroe?

—En busca del amor. Voy a la cumbre, donde una doncella me espera, dormida entre las llamas.

—Detente. ¡Ay de ti si das un paso! Esa doncella es mi hija Brunilda; en otro tiempo era una valquiria[6], mensajera de las batallas. Pero un día, desobedeciendo mis órdenes sagradas, quiso proteger en el combate al rey Sigmundo, y yo la desposeí de su divinidad, transformándola en mujer. Le clavé la espina del sueño y la condené a un profundo sopor, del que solo la despertará aquel que no haya conocido el miedo.

Sopor: Sueño.

—Yo la despertaré —exclamó Sigfrido.

—Pues bien; demuestra antes tu valor. Atrévete a luchar con Odín, señor de los ejércitos. Desenvaina tu espada contra esta lanza de fresno que un día rompió en cien pedazos la espada del rey Sigmundo.

—¡Ah! —gritó Sigfrido—. ¡Por fin encuentro al enemigo de mi padre!

Y desenvainando su espada se lanzó contra el dios.

---

[6] Las valquirias eran las nueve hijas del dios Odín, que guiaban a los héroes en el combate y tras la muerte los cuidaban en el *Valhalla* o Paraíso.

Al encuentro de las armas se oyó un trueno espantoso, y la lanza de fresno saltó hecha astillas.

—¡Tú eres el más valiente de los héroes! —exclamó Odín—. Pasa; no puedo detenerte.

Y envuelto en una niebla desapareció.

Sigfrido subió a caballo el desfiladero y llegó ante el cerco de fuego. Crepitaban las llamas, retorciéndose como serpientes, y sus lenguas llegaban hasta el cielo. Sigfrido se llevó a los labios su bocina de plata y clavó la espuela en los ijares de *Grani*, que resoplando se lanzó de un salto en medio del incendio. Las llamas chocaban furiosas contra el cuerpo del héroe, resbalando sobre su coraza.

Ijares: Cavidades situadas a ambos lados y encima de las caderas.

Al fin Sigfrido traspasó la muralla de fuego y, dormido bajo un pino de copa redonda, vio a un guerrero armado de yelmo y coraza en el centro de un círculo de escudos blancos y rojos.

Se acercó a él, saltando sobre los escudos; le quitó el yelmo, rasgó con su espada el acero de la coraza de arriba abajo, y vio que era una hermosísima doncella.

Al abrirse la coraza despertó la durmiente, y preguntó, enderezándose:

—¿Quién ha atravesado por amor el fuego? ¿Quién ha roto las pálidas ataduras de mi encantamiento?

—Ha sido Sigfrido el welsa, el hijo de Sigmundo. Su espada ha roto tu sueño.

—Salve a ti, ¡oh Sigfrido!, a quien esperaba mi corazón.

—Salve a ti, ¡oh Brunilda! Mi amor y mi espada te despiertan a la vida.

Y Brunilda y Sigfrido, en prenda de amor, cambiaron sus anillos. De este modo Sigfrido, sin saberlo, condenaba a muerte a su amada entregándole el anillo de los nibelungos, cuyo fatal poder no conocía.

Tres días permaneció el héroe en la peña de la Corza. Pasado ese tiempo decidió dejar a Brunilda para volver a buscarla cuando hubiera castigado a todos los enemigos de su padre y reconquistado su reino.

Cruzó el mar hacia Gautlandia en medio de una violenta tempestad. Las olas chorreaban por el barco como el sudor por los costados de un caballo en la batalla. Sigfrido, erguido en la proa, tocaba su bocina de plata desafiando alegremente la borrasca:

—¡Aquí está Sigfrido sobre los árboles del mar! Él vencerá a las olas y vengará la muerte de los welsas. Y a su voz amaina la tormenta y cede el oleaje. Así llegó a la tierra de los hijos de Hunding, donde encendió una tremenda lucha con los enemigos de su estirpe, venciéndolos a todos y arrebatándoles su reino.

Amaina: Disminuye.

Una noche, navegando de regreso hacia el sur en una barca sobre el Rin, atracó Sigfrido a la puerta de un gran palacio. Era la casa del rey Gunar, el cual tenía un hermano bastardo llamado Hagen, hijo de nibelungos, y una hermana llamada Grimilda, hermosa entre las mujeres. Gunar era un joven héroe que sabía apreciar el valor, y acogió gozoso en su palacio a Sigfrido, colmándole de honores.

Pasaron muchos días divertidos en cacerías y festines, y Gunar y Sigfrido se juraron eterna amistad, haciendo gotear juntos su sangre sobre la huella del pie en señal de sagrada alianza.

Grimilda se enamoró del hijo de los welsas, que guardaba puro su corazón para Brunilda. Y un día, cegada por su amor, le preparó una bebida mágica, que hacía olvidar el pasado. Mezclada en la copa de hidromel se la ofreció en el banquete, y al beberla, Sigfrido sintió nublarse su pasado, y de su memoria se borró el amor de Brunilda y la promesa que los unía. De este modo Grimilda logró sus propósitos, y al día siguiente celebró sus bodas con Sigfrido, que ya no pensó más en dejar el palacio.

Hidromel: Agua con miel.

Pasó algún tiempo. Un día Gunar oyó hablar de una doncella encantada que vivía en la peña de la Corza rodeada de fuego y decidió ir allá a conquistarla. Sigfrido, sin acordarse de nada, le acompañó en la aventura.

Juntos llegaron a la cumbre. Gunar trató de atravesar la muralla de llamas, pero su caballo retrocedió, relinchando, espantado. Quiso repetir la prueba montado en *Grani*, pero el caballo de Sigfrido también se negó a avanzar bajo las piernas de Gunar. Entonces Sigfrido se ofreció a realizar la empresa por su hermano de sangre; se puso el yelmo encantado que conquistara en la cueva del dragón, y su rostro se cambió por el de Gunar. De este modo Sigfrido atravesó nuevamente las llamas y el círculo de escudos.

Brunilda, al ver avanzar al desconocido, retrocedió, sorprendida, exclamando:

—¿Quién es el atrevido que atraviesa mi cerco de fuego?

—Soy el rey Gunar —respondió Sigfrido—. Prometida estás al que atraviesa las llamas, y conmigo vendrás a mi palacio.

—Imposible —dijo Brunilda—. Mi corazón es de Sigfrido el welsa, cuyo retorno aguardo.

—En vano aguardas —respondió Sigfrido riendo—. El welsa se ha desposado con la hermosa Grimilda, mi hermana, y vive feliz en sus brazos.

Perjuro: Que ha jurado en falso.

Al oír esto Brunilda se llenó de celos y de ira contra el perjuro, y se decidió a acompañar a Gunar, meditando una venganza. Al bajar de la peña de la Corza, Gunar y Sigfrido trocaron nuevamente sus rostros, y fueron hasta el palacio sin hablar una palabra en el camino.

Sin alegría se celebraron las bodas de Gunar y Brunilda. La hermosa no podía contener su llanto, y cuanto más meditaba su venganza, más sentía crecer su amor por el rey Sigfrido. Al caer la tarde salía del palacio y caminaba llorando, cubierta de nieve y hielo, mientras Grimilda subía con su amado al lecho y cerraba en torno las colgaduras.

Colgadura: Tapices o telas de adorno.

Tampoco Sigfrido era feliz. Cuando sus ojos se encontraban con los de Brunilda, su corazón se llenaba de pena, queriendo recordar; pero en su memoria ha-

bía una laguna de nieblas. Y apartaba los ojos de Brunilda, sobrecogido de temor.

Un día Brunilda descubrió el poder mágico del yelmo, y supo que el propio Sigfrido la había conquistado por segunda vez en figura de Gunar. Entonces, desesperada por el silencio y la ingratitud del héroe,
habló a su marido, incitándole a la venganza:

—Sigfrido te ha traicionado, ¡oh Gunar! Él fue mi
primer esposo, atravesando las llamas antes que tú.
Tres días permaneció conmigo en la peña de la Corza,
y te lo ha ocultado. He aquí su anillo, que me entregó
en prenda de amor.

Gunar lloró de dolor al saber esto. Su corazón cla-
mó venganza; pero recordó el juramento sagrado que
le unía a Sigfrido: juntos habían hecho gotear su sangre en señal de alianza, y su espada no podía romper
la fe jurada.

Entonces llamó a su hermanastro Hagen, hijo de nibelungos, que no había hecho alianza de sangre con
Sigfrido; incitó sus instintos contra el welsa, prometién-
dole el tesoro del Rin conquistado al dragón. Le enar-
deció con bebidas y le dio a comer carne de lobo, hasta   *Enardecer:*
que Hagen, salvaje y borracho, juró la muerte del héroe.   *Estimular.*

Allí en el bosque de encinas, junto al Rin, al pie de
la fuente fría, donde antaño custodiaron las ninfas el   *Antaño:*
tesoro de los nibelungos, allí se consumó la gran trai-   *Antiguamente.*
ción[7]. Allí murió el brillante héroe del sur[8].

Sigfrido llegó a la fuente cansado de la cacería, se
despojó de su escudo y de su espada y se sentó a re-
posar junto a *Grani*, que pacía entre la yerba. El abejaruco le habló desde la rama de un tilo:

—Morirás joven, héroe sagrado; la traición te ace-   *Brebaje:* Sustancia
cha. Tu corazón está ciego por un brebaje que Grimil-   líquida de sabor
                                                           desagradable.

---

[7] Ya vimos cómo la traición constituye un motivo argumental muy corriente en estas historias de origen legendario y oral: al fin y al cabo se trata de elementos muy identificados
con la mentalidad primitiva y los comportamientos básicos del ser humano.
[8] El uso de la anáfora y de la reiteración sintáctica sirve para destacar el lugar y preparar el clímax del relato: el momento de la muerte de Sigfrido.

da te dio a beber en la copa de hidromel. ¿No recuerdas a Brunilda, la hija de los dioses, tu esposa de tres días? Bebe de la fuente fría, Sigfrido, y tu corazón recobrará la memoria.

Sigfrido se inclinó de bruces sobre la fuente. Según bebía, sus sentidos se aclaraban. Y vio a Brunilda dormida bajo el pino, dentro de su círculo de escudos, rodeada de llamas; la vio despertarse cuando su espada le rasgó la coraza...

De pronto de cuervos volaron sobre la fuente. Entre la sombra de la noche, saliendo del bosque, apareció Hagen, y blandiendo su lanza en el aire la lanzó contra Sigfrido, clavándosela en la espalda. La sangre del héroe tiñó la fuente y su rostro se hundió en el agua roja. Su caballo huyó, relinchando espantado, por la selva.

Los guerreros de Gunar llevaron al palacio el cadáver sagrado, tendido sobre su escudo, y alumbrando la noche con antorchas. Grimilda se retorcía las manos de dolor, llenando el aire con sus gritos.

Brunilda, pálida y fría, dispuso la ceremonia fúnebre.

Pira: Figuradamente, hoguera.

Hizo levantar en el bosque una enorme pira de troncos de fresno, rodeada de colgaduras y escudos; en lo alto de la pira, dividiéndola en dos mitades, puso la invencible espada de Sigfrido. Colocó a su lado el cadáver sagrado, cubierto de ricas pieles, y todos sus tesoros, y sus armas de caza y de guerra. También ella se adornó de joyas y collares. Con sus propias manos encendió una tea

Tea: Antorcha.

Resina: Sustancia que se obtiene al hendir la corteza de ciertos árboles, como el pino.

de resina olorosa y prendió fuego a la pira.

Luego, cuando las llamas se elevaron, enrojeciendo la noche, habló a todos:

—Yo voy a morir también; así lo quiere mi amor y este anillo de los nibelungos que reluce en mi dedo. Solo a Sigfrido he amado, y no pudiendo vivir al lado del héroe, yo misma he pedido su muerte, para morir junto a él. Unidas irán al viento del bosque nuestras cenizas.

Y diciendo estas palabras se arrojó a la pira, al lado de Sigfrido. Una misma llama los consumió a los dos, separados por el filo de la espada.

El cantar de Roldán

El Cantar de Roldán florece en los primeros pasos de la poesía francesa, a fines del siglo XI, y está escrito por un juglar[1] desconocido. Es una maravillosa pintura de la Alta Edad Media. Describe al emperador Carlos el Grande y a sus doce pares. Y canta la tragedia de Roldán[2] en los puertos de Roncesvalles[3].

SIETE AÑOS HA MORADO EN ESPAÑA CARLOMAGNO[4], nuestro[5] gran emperador. La alta tierra ha conquistado hasta el borde del mar. Ni hubo castillo que ante él resistiese, ni ciudad ni muro que no derribase. Menos Zaragoza, que se halla sobre una colina sometida al rey moro Marsilio, que no adora al Señor.

[1] Los juglares eran los artistas populares que en la Edad Media europea se ganaban la vida en los espectáculos públicos para entretener a las gentes mediante la danza, el canto o la recitación de poemas épicos, que en ocasiones ellos mismos compilaban, adaptaban e incluso componían.

[2] La *Canción de Roldán*, ambientada en España, dio lugar aquí a un poema épico perdido (el *Roncesvalles*, del que se conservan apenas cien versos), además de haber dejado un rastro muy importante en el *Romancero*. El poema francés fue escrito por un juglar desconocido a fines del siglo XI. Está protagonizado por el emperador francés Carlomagno y sus principales caballeros, llamados los doce pares. El acontecimiento central es la tragedia de Roldán, traicionado por uno de sus compañeros y muerto en las estribaciones de Roncesvalles combatiendo contra el rey moro de Zaragoza, mientras guardaba la retirada a las tropas del Emperador que regresaban a Francia. Casona ha sintetizado con su habitual maestría el acontecimiento esencial.

[3] Roncesvalles es el más conocido paso de montaña entre Francia y Navarra; por allí en la Edad Media penetraba en España una de las dos grandes rutas europeas de peregrinación a Santiago de Compostela, dando lugar a lo que se llamó el camino francés.

[4] Carlomagno (742-814) fue rey de los francos y emperador de Occidente; llegó a dominar un territorio equivalente a lo que hoy abarcan Francia, Alemania, la península italiana y Cataluña. Sus victorias militares lo convirtieron pronto en una figura legendaria, protagonista de cantares de gesta franceses y españoles.

[5] Este posesivo correspondiente a la primera persona del plural define claramente al narrador como una persona vinculada a Carlomagno, algo que se confirmará más adelante mediante el uso de exclamaciones y comentarios siempre favorables al Emperador.

Marsilio tiene miedo de Carlos el *Grande*, y busca la manera de engañarle para alejarle de sus tierras. Reúne

Vergel: Jardín.

Grada: Escalinata.

Lebrel: Perro especializado en cazar liebres.

Azor: Ave de presa.

a sus condes y duques en un vergel, sobre una grada de mármoles azules, y allí toman la decisión de enviarle un mensaje de servidumbre, ofreciéndole lebreles, osos y leones, setecientos camellos y mil azores mudados, cuatrocientos mulos cargados de oro y plata y armas y tesoros para que no le haga más la guerra y se vuelva a su corte de Aquisgrán[6]. También le ofrece hacerse cristiano y ser su amigo.

Pero el rey Marsilio miente. Su propósito siempre fue la traición.

En una ancha pradera está Carlos, el emperador de la barba florida. Le rodean sus doce pares: Roldán, su sobrino, y Oliveros el esforzado, y el altivo Anseís y

Gonfalonero: El que lleva la bandera.

Godofredo de Anjou, gonfalonero imperial, y Turpín de Reims, el valiente arzobispo, y Engleros, y Garín y Gerer, con otros muchos caballeros de la dulce Francia, hasta contarse quince mil.

Agavanzo: Rosal silvestre.

Gallardía: Elegancia, bizarría, arrojo.

Bajo un pino, junto a un agavanzo, allí estaba sentado Carlos el rey, el dueño de la dulce Francia. Blanca es su barba y florida su cabeza. Los mensajeros de Marsilio le reconocen en seguida por su gallardía. Descabalgan, le saludan con reverencia y amor y dicen su mensaje.

Carlos escucha el mensaje, baja la cabeza y comienza a meditar. Su palabra jamás fue apresurada. Después, bajo los pinos, sobre una blanca alfombra, convoca a sus barones a consejo. Allí está la flor de los caballeros de Francia, y entre ellos Ganelón, por quien fueron traicionados.

Allí habló el conde Roldán, el sobrino del Emperador, el más esforzado de los doce pares:

—¡Ay de vos si os fiáis de Marsilio! Siete años enteros llevamos ya en España. Y siempre el rey Marsilio se

---

[6] Actual ciudad alemana de Aachen; fue residencia preferida de Carlomagno que la convirtió en capital de su imperio.

portó como un traidor. Nos enviaba a sus siervos con ramos de olivo y mensajes de paz. Pero luego hacía decapitar a nuestros emisarios. No os fiéis en la palabra de Marsilio.

Así habló el valiente Roldán. Carlomagno se alisa la barba y calla, meditando. Los francos callan también. Luego habló Ganelón, altivo, erguido sobre sus pies: —Roldán no ha hablado en vuestra pro. Él siempre quiere guerrear y poco le importa de nuestras vidas. Cuando el rey Marsilio os pide la paz y se ofrece por siervo vuestro no debéis rechazar tales promesas. Dejemos a los locos y atengámonos a la razón.

Franco: Pueblo germánico que conquistó la Galia y fundó la monarquía francesa.

Pro: Provecho.

Así habló Ganelón, y sus palabras parecieron bien a los francos. Nadie podía adivinar en él a un traidor.

Entonces se oyó la voz noble y clara del Emperador: —Señores franceses: ¿quién podría marchar a Zaragoza con un mensaje mío al rey Marsilio?

—Yo iré con vuestra venia —responde Roldán—. Dadme el guante y el bastón de emisario.

Venia: Permiso.

—Vos no —replica el conde Oliveros—; vuestra vida es demasiado preciosa para arriesgarla en esta empresa. Si el rey quiere, yo iré.

—Ni uno ni otro pondréis allá las plantas —replica el rey—. Por esta misma barba que veis aquí nevada, ¡mal haya quien me designe a uno de los doce pares!

Los francos enmudecen y aguardan sobrecogidos.

—Que vaya entonces mi padrastro Ganelón —dice Roldán.

Y así se acuerda.

El conde Ganelón está en gran pena. De su cuello va arrancándose las anchas pieles de marta y queda cubierto con el brial de seda. Tiene dos ojos encendidos, y le tiemblan las manos, porque quien va a Zaragoza no sabe si volverá. Roldán se ríe al verle temblar, y Ganelón está a punto de estallar de rabia.

Marta: Pequeño mamífero de patas cortas y piel muy apreciada.

Brial: Faldón.

—Te odio, Roldán, porque has hecho caer en mí esta elección injusta. Si Dios permite que vuelva, guárdate de mí.

Luego va a tomar el guante y el bastón del Emperador para llevar su mensaje. Pero al hacerlo, el guante
cae al suelo y los francos exclaman:

—¡Dios! ¿Qué significa esto? Con mal augurio comienza esta embajada. Algún mal nos ha de venir de
ella.

Ahora cabalga Ganelón hacia las tierras de Marsilio.
Lleva espuelas de oro y ciñe su espada Murglés al costado. Por el camino va maldiciendo de Roldán, y de
Oliveros por ser su amigo, y de los doce pares por el
amor que el rey les profesa. Y en su corazón va meditando una traición para perderlos.

Vereda: Camino
estrecho.

Tanto ha cabalgado por caminos y veredas, que ya
echa pie a tierra frente a la tienda de Marsilio. Allí se

Sarraceno:
Musulmán.

concierta la vil traición. Ganelón recibe del sarraceno

Ajorcas: Pulseras.

armas y tesoros, ajorcas de oro con jacintos y amatis-

Jacinto: Piedra
preciosa de color
rojo oscuro.

tas. Y en secreto descubre al rey Marsilio la traza de
que puede valerse para matar a Roldán.

Amatista: Piedra
preciosa de color
violeta.

—Yo engañaré a mi rey —le dice— haciéndole
creer en vuestra sumisión. Le llevaré vuestros rehenes
y presentes, y Carlos me creerá y se internará con sus

Traza: Engaño.

tropas por los desfiladeros de Roncesvalles. Tras él

Rehenes: Personas
que quedan en
poder del enemigo
para asegurar lo
que se ha pactado.

quedará la retaguardia con su sobrino Roldán y el esforzado Oliveros. Allí los cercarán vuestras tropas
cuando ya el rey esté lejos y no pueda volver en su au-

Desfiladero: Paso
estrecho entre
montañas.

xilio. Si lográis que Roldán sea allí muerto, arrebataréis
a Carlomagno el brazo derecho de su cuerpo, y su ejército ya no volverá a pasar los Pirineos contra vos.

—Juradme vos traicionar a Roldán —dice Marsilio.
—Así sea —responde Ganelón.

Y sobre la cruz de su espada Murglés jura la traición.

Mucho madrugó el Emperador. Erguido está ante
su tienda, sobre la verde hierba, entre Roldán y Olive-

Perjuro: Que ha
jurado en falso.

ros, cuando llega de regreso el perjuro Ganelón y comienza a hablar con gran astucia:

—Dios os salve, rey Carlos. Aquí traigo para vos las llaves de Zaragoza y un tesoro que os envía el rey Marsilio, vuestro vasallo. Cierto era su mensaje de sumisión. Vuestros ejércitos pueden marchar tranquilos y honrados. Volvamos a nuestra Tierra Mayor. Internémonos hoy por los desfiladeros de Cize, y que Roldán y Oliveros queden atrás para guardar la retaguardia.

La noticia es acogida con júbilo. Entre las filas resuenan mil clarines. Los francos alzan las tiendas, cargan las acémilas, y todos se encaminan hacia la dulce Francia.

Acémila: Animal de carga.

A la noche, el conde Roldán sujeta a su lanza el gonfalón, y en la cima de un otero lo yergue hacia las nubes. A esta señal, los francos acampan por todo el contorno.

Gonfalón: Bandera.

Otero: Colina.

Entonces, por las anchas cañadas, vienen cabalgando los infieles. La cota llevan puesta, el escudo al cuello, atado el yelmo y la lanza prevenida. En una selva se detienen y se emboscan[7], esperando el alba para caer por sorpresa sobre la retaguardia, cuando el grueso del ejército se aleje. Son cuatrocientos mil. ¡Dios, qué dolor, que nada sepan los franceses!

Cañada: Camino para el ganado trashumante.

Cota: Pieza para proteger el cuerpo bajo la armadura, hecha de malla de hierro.

Yelmo: Casco.

La noche es sombría. Duerme Carlos, el poderoso emperador. Soñó que estaba internado en los desfiladeros de Cize. Entre sus manos tenía su lanza de fresno. El conde Ganelón se la arrebata, y tan fuerte la sacude, que vuelan hasta el cielo las astillas. Carlos duerme.

Fresno: Árbol de madera muy apreciada.

Después tiene otra visión. Sueña que está en su reino[8], en Aquisgrán. Un oso terrible le muerde el brazo derecho, y un leopardo de las Ardenas se lanza contra

---

[7] También aquí aparece con frecuencia el presente histórico para acercar la acción a los oyentes de modo que estos se sientan casi como testigos de las peripecias de los héroes; se trataba de un recurso habitual entre los juglares medievales.

[8] Conviene insistir de nuevo en que el sueño y la traición constituyen dos motivos argumentales frecuentes en estas historias de origen legendario y popular, porque son elementos muy relacionados con la mentalidad primitiva y los comportamientos básicos del ser humano. En este caso el sueño de Carlomagno ofrece una especial belleza y complejidad.

él. Un lebrel defiende a Carlos, y lucha contra el oso y el leopardo. ¿Qué significa aquello? Nadie lo sabe. Carlos duerme.

A la mañana siguiente, el rey está triste por sus sueños, y apenas puede contener las lágrimas. Un presentimiento habla en su corazón. Entrega su arco a Roldán, que ha de quedar en retaguardia defendiendo el paso, y le abraza tiernamente. Es su sobrino, es el mejor paladín de los francos. ¿Quién no lloraría al dejarle en tan gran peligro? Carlos recuerda ahora sus sueños y mira con rencor a Ganelón. Después da la orden de marcha, y sus tropas cruzan las cañadas sombrías y los siniestros desfiladeros de Roncesvalles. A quince leguas se oye el rumor de los ejércitos. Cuando al otro lado de los montes divisan a su patria, la dulce Francia, todos los corazones se alegran: se acuerdan de sus feudos, de las doncellas de sus castillos, de sus nobles esposas. Pero el rey Carlos está triste porque deja en los puertos de España a su sobrino, y no puede contener las lágrimas, que oculta con su mano.

Así se alejan los franceses.

Los doce pares han quedado en España con el valiente Roldán. Tiene su campamento en los altos puertos.

Entre tanto, el rey Marsilio junta a sus paladines bajo la enseña de Mahoma[9]. Allí están Corsablín y Falsarón, y Turgis y Malprimís, y mil caballeros más. Todos gritan fanfarronamente ser los primeros en derribar a Roldán y arrastrar su cadáver. Cabalgan hacia los puertos a marchas forzadas, alzando al cielo sus voces, sus lanzas valencianas y sus gonfalones blancos, azules y bermejos.

Claro el día y bello el sol. Las armaduras relumbran; gritan los clarines, y su estruendo llega hasta los francos. A un altozano se ha subido Oliveros, y ve avanzar el ejército infiel. Llama a Roldán, y le habla así:

Paladín: Caballero noble y valiente.

Legua: Medida de longitud equivalente a 5.572 metros.

Feudo: Territorios y posesiones.

Bermejo: Rojo.

Clarín: Instrumento de viento más pequeño y agudo que la trompeta.

[9] Mahoma (*c.* 570-632), fundador y profeta de la religión islámica.

—Señor compañero, del lado de España llegan los infieles. Son cientos de miles, todos brillantes de acero, y caminan en filas apretadas. Ganelón lo sabía, el vil traidor por quien fuimos designados ante el Emperador. —Callad, Oliveros —replicó Roldán—, Ganelón es mi padrastro; no quiero que habléis mal de él. Oliveros ha trepado a una alta cumbre. Desde allí se ve el claro reino de España y la turba de los sarracenos brillantes de piedras engastadas en oro y lanzas con los pendones atados al hierro. Son tantos, que nadie podría contarlos.

Pendón: Bandera o estandarte pequeño.

—Los infieles son innumerables, y nosotros, muy escasos —dice Oliveros—. Roldán, mi compañero, haced sonar vuestro cuerno de marfil. Carlos lo oirá y retornarán las tropas.

—No haré tal —respondió Roldán—. Nosotros solos nos defenderemos. Mi espada Durandarte se empañará hoy de sangre hasta el oro de la taza.

Taza: Pieza del mango de la espada.

—Numerosos son nuestros enemigos —vuelve a decir Oliveros—. Llenan valles y montañas, landas y llanuras. Roldán, mi compañero, tañed vuestro olifante. Carlos lo oirá y volverá a nuestro lado.

Landa: Lugar llano y despejado.

Tañed: Tocad.

—Nunca —responde Roldán—. Nadie dirá de mí que he pedido auxilio para vencer a los infieles. Antes morir, por el honor de Francia. Ya veréis cómo se enrojece el acero de mi Durandarte. ¡Pobre del corazón que hoy se acobarde!

Olifante: Instrumento de viento fabricado a partir de un cuerno de marfil.

Así habló Roldán como bravo. Así habló Oliveros como prudente. Uno y otro honran por igual a Francia la gentil. El arzobispo Turpín, armado de todas armas, bendice a la baronía franca. Y la lucha comienza.

Baronía: Nobleza.

¡Dios, qué gallardamente acomete Roldán! Le brilla la armadura, lleva la lanza en alto, y atado a ella, un gonfalón todo blanco, cuyas franjas le rozan las manos. Bravo es su porte; su rostro, claro y risueño. Junto a él cabalga Oliveros, y los francos los aclaman al divisar su escudo. Todos acometen lanzando el grito de guerra del rey Carlos:

—*Montjoie!*

Roldán ataca el primero al sobrino de Marsilio, que grita insultos contra Francia. Al golpe del encuentro le abre el pecho y le quiebra el espinazo. Con su lanza le arroja fuera el alma.

—*Montjoie!*

Es el grito de guerra de Carlos.

Bloca: Punta aguda en el centro de algunos escudos.

Loriga: Coraza formada por escamas metálicas.

Mandoble: Golpe de espada.

Par: Título noble.

Allí vierais quebrarse las blocas y los escudos, saltar chispas los yelmos, desgarrarse las cotas y las lorigas, derribar jinetes y caballos, sonar las trompas y gritar amontonados los heridos. Allí Corsablín y Falsarón, Turgis y Malprimís, los campeones del rey Marsilio, caían, lanzando sangre y gemidos, bajo los mandobles de los doce pares.

—*Montjoie!*

Es el grito de guerra de Carlos.

Asombrosa es la batalla, y ya se lucha en tropel. El conde Roldán cabalga por el campo. Relumbra su espada Durandarte. La clara sangre corre en charcos y llega desde las crines del caballo hasta los hombros del jinete. A su lado va siempre el valiente Oliveros; ha roto contra los huesos de los enemigos su lanza, y desenvaina ahora su espada Altaclara. Y el arzobispo Turpín siembra infieles en círculo a su alrededor.

También mueren allí los más valientes franceses.

Asta: Cuerno.

Enseña: Bandera.

Mesar: Arrancar.

¡Cuántas astas rotas y bermejas! ¡Cuántas banderas y enseñas desgarradas! ¡Cuánta juventud destrozada[10]! Nunca más verán a sus madres y esposas, ni a sus hermanos de guerra los soldados que pasaron delante los puertos. Cuando lo sepa, Carlos el *Grande* llorará y se mesará su barba blanca. Pero de nada ha de servir su llanto. ¡Maldito sea Ganelón, el traidor, que vendió por dinero a sus hermanos!

Entre tanto, en Francia descarga una extraña tormenta, llena de truenos y relámpagos, de lluvia y de hie-

---

[10] En el lenguaje de la épica española y francesa, a la hora de describir las batallas, aparecen frecuentes enumeraciones en las que predomina el intensivo «tantos / as», «cuantos / as» para dibujar ante el receptor la grandeza del combate.

lo, y en pleno día invaden el campo las tinieblas. Es que el cielo hace un gran duelo por la muerte de Roldán.

Bien se baten los franceses. Jamás se vieron mejores soldados bajo el sol. Cada uno ha matado centenares de enemigos. Pero los sarracenos avanzan en veinte escalones de combate. Y su número los aplasta. Ya han caído Engleros y Anseis, Gerer y Garín, y los más esforzados caballeros francos. Solo quedan sesenta. Cuando ven caer a sus pares y amigos, los que quedan gritan de dolor y atacan con más fuerza desesperadamente. Roldán también está herido, y habla así a Oliveros, su par:

—Señor compañero, ved muertos a nuestros mejores amigos. Gran desgracia es esta para la dulce Francia. Yo tañeré mi cuerno de marfil. Carlos lo oirá y pasará otra vez los puertos en nuestro socorro.

—Ya es tarde —responde Oliveros—. Carlos no llegará a tiempo. Solo nos queda morir con nuestros hermanos.

Allí habló Turpín, el valiente arzobispo:

—Tañed vuestro olifante, Roldán. Nuestros francos nos encontrarán muertos; pero llorarán sobre nosotros, nos enterrarán en nuestra patria y no seremos pasto de lobos y perros.

Roldán, con gran dolor y esfuerzo, tañe por fin su olifante. Al soplar, brota la clara sangre por su boca. Tiene rotas las sienes. El sonido del cuerno se derrama a lo lejos, a treinta leguas se escucha en los contornos.

Carlos, el emperador de la barba florida, lo oye desde los desfiladeros, y su corazón salta de congoja.   *Congoja:* Amargura.

—¡Es el olifante de Roldán!

—Imposible —replica Ganelón—. Será el cuerno de algún pastor. ¿Hemos de detenernos por eso? Sigamos avanzando. Nuestra Tierra Mayor aún está lejos.

Roldán vuelve a tañer el cuerno, con la boca ensangrentada. Las fuerzas le abandonan. Tiene rotas las sienes. Carlos lo oye de nuevo y se detiene, levantándose sobre los estribos.

—¡Es el olifante de Roldán! En gran peligro están los nuestros cuando nos llaman en su auxilio. Aquí, *Barón:* Título mis barones; prendedme a Ganelón. Roldán ha sido nobiliario. traicionado.

Mientras el rey habla, el cuerno suena por tercera vez. Se oye muy lejos y cada vez más apagado. El Emperador comprende que Roldán está herido y se apresura con los suyos hacia Roncesvalles. Van enardecidos y clavan toda la espuela a sus caballos. Sus trompas atruenan los desfiladeros, contestando al cuerno de Roldán. Pero de nada sirve ya; llegarán demasiado tarde.

Avanza el día. Luce la tarde clara. Roldán llora y pelea entre sus amigos muertos, y avizora los montes y *Avizorar:* Mirar las landas. Delante de su tajante Durandarte, los moros desde lejos. huyen como el ciervo delante de los perros. De un tajo *Tajante:* Cortante. ha partido la muñeca al rey Marsilio, que huye cobardemente, derramando su sangre negra. A montones caen los enemigos delante de Roldán, y el valiente Oliveros, y Turpín el esforzado.

¡Dios! ¿Qué pasa ahora? Un moro traidor ha llegado a galope de su caballo contra Oliveros, y le hiere en plena espalda. La lanza le atraviesa el pecho y asoma por delante. Oliveros siente que está herido de muer*Blandir:* Mover con te. Blande su Altaclara, se vuelve y de un golpe mata al aire amenazador. traidor.

Roldán contempla el rostro de su amigo; está em*Lívido:* Pálido. pañado, lívido. Le habla entonces con ternura:

—Señor compañero, infortunado fue vuestro valor. *Desolada:* Asolada ¡Ah, dulce Francia, qué desolada quedas sin tus mejo(destruida). res vasallos, humillada y en derrota! Perdonadme, Oliveros; yo soy culpable de tu desdicha por no tañer el olifante cuando aún era tiempo.

Oliveros sonríe, con los ojos sin luz:

—Os perdono, Roldán, mi par y amigo.

Y se abrazan sobre los caballos.

Luego Oliveros echa pie a tierra y se tiende sobre la verde hierba. Corre su clara sangre a lo largo del cuer-

po, coagulándose en la tierra. Tanta sangre derramó, *Coagulándose:*
que sus ojos están turbios. Ya no oye ni ve. Le flaquea *Volviéndose sólida.*
el corazón, rueda su yelmo, y todo su cuerpo, rígido,
se desploma. El conde Oliveros está muerto.

Roldán le contempla y se da cuenta de la catástrofe.
Ya solo le queda, de sus caballeros, el arzobispo Turpín, que ha tendido a su alrededor más de cuatrocientos sarracenos[11]. Y también Turpín cae, atravesado su
cuerpo por cuatro lanzas. Y muere bendiciendo a los
suyos.

Roldán vuelve a tañer, débilmente, su cuerno de
marfil. Sesenta mil clarines le responden al otro lado
de los montes, tan cerca y tan fuerte, que hacen retumbar los valles y cañadas. Al oírlos, los ojos de Roldán se iluminan, y los infieles se dan por perdidos.

—El Emperador vuelve —se dicen—. Hay que acabar con Roldán.

Y cuatrocientos se suman contra él. Le arrojan dar-
dos y flechas sin número, y lanzas y venablos de pun-   *Venablo:* Lanza
tas emplumadas. Le matan su caballo, le agujerean el   *pequeña.*
escudo, le destrozan la cota; pero no consiguen derri- *Cota:* Pieza para
barle.   proteger el cuerpo
                                                         bajo la armadura,
Al caer la noche, los sarracenos huyen precipitada-   hecha de malla
mente, llenos de rabia. Roldán sangra por cien heridas. de hierro.
Busca a sus amigos entre los cadáveres y les llora sobre
sus rodillas.

También siente que está próximo su fin; tiene rotas
las sienes, y el cerebro se le derrama por los oídos. Con
una mano coge el olifante y con la otra su espada Durandarte, y sube lentamente a un alcor, desde donde se *Alcor:* Monte
divisan tierras de Francia y España. Allí, contra las ro- *pequeño.*
cas de mármol, trata de romper su espada para que
muera con él y no la cojan los infieles. Rechina el ace- *Mellarse:*
ro, pero no estalla ni se mella. A sus golpes se hienden *Estropearse.*

---

[11] Un rasgo que diferencia la *Canción de Roldán* de la épica española es la presencia en el poema francés de heroicidades exageradas e inverosímiles como esta, lo cual contrasta con el realismo de los poemas épicos castellanos.

los negros peñascos, pero la espada no se rompe y salta contra el cielo.

Entonces la cruza dulcemente sobre su pecho y se tiende boca arriba, bajo un pino, entre la hierba fresca. Mañana, al alba, llegará el Emperador; verá su cadáver sobre el campo de batalla; tomará cumplida venganza contra los infieles y mandará ahorcar vilmente a Ganelón el traidor. Roldán confiesa en voz alta sus culpas, y en descargo de ellas levanta hacia Dios su guante derecho.

Es de noche. Todo está en silencio en Roncesvalles. Roldán siente que la muerte baja desde su cabeza hasta su corazón. Vuelve hacia España su rostro para estar, aun después de muerto, frente a los infieles. Se acuerda de Carlos, el emperador de la barba florida, de la dulce Francia, de Oliveros y de los doce pares, sus amigos. Y llora por todos en silencio.

Al alba, cuando Carlos llega, su cuerpo está rígido y frío.

Así está escrita la muerte de Roldán en la gesta de Turoldo[12].

---

[12] Uno de los refundidores que hicieron una versión de la epopeya de Carlomagno y Roldán.

El destierro de Mio Cid

El Poema del Mio Cid es el más bello y más antiguo monumento de la épica castellana. Fue compuesto a mediados del siglo XII, unos cincuenta años después de la muerte del Cid, por un juglar desconocido, probablemente de Medinaceli. De su primer cantar, «El destierro del Cid», está tomada en todos sus detalles y expresión esta versión, excepto en la causa del destierro, en que nos hemos acogido a la tradición, más popularizada, del Romancero[1].

E N EL SITIO DE ZAMORA mataron a traición al buen rey Sancho el *Fuerte*, a quien servía Mio Cid el *Campeador*. Su hermano Alfonso hereda el trono. Y en Santa Gadea de Burgos, sobre un cerrojo de hierro y una ballesta de palo, el Cid toma juramento al nuevo rey de Castilla. Así le toma la jura:

—Villanos te maten, rey, que no guerreros hidalgos; mátente en un despoblado, con cuchillos cachicuernos; sáquente el corazón vivo por el costado, si no dices la verdad: si tú fuiste o consentiste en la muerte de tu hermano[2].

Fuertes eran las juras. Trabajo le cuesta al rey aceptarlas. Pero jura al fin, y es aclamado señor de Castilla. Después se vuelve muy enojado contra el Cid.

Ballesta: Arma para lanzar flechas.

Cachicuerno: Con mango de cuerno.

---

[1] En el viejo poema épico el Cid resulta desterrado porque lo calumniaron ante el rey unos nobles leoneses; sin embargo, los romances, en particular el famosísimo de «La jura de Santa Gadea», cuentan que el destierro se produjo porque el héroe obligó a Alfonso VI —antes de que tomara posesión de la corona castellana— a jurar que nada tuvo que ver en el asesinato de su hermano el rey don Sancho.

[2] Aquí Casona reproduce casi de forma literal versos del romance viejo de «La jura de Santa Gadea». La iglesia gótica —y antes románica— de Santa Gadea aún se conserva y está situada muy cerca de la catedral de Burgos.

Rehén: Persona que queda en poder del enemigo para asegurar lo que se ha pactado.

Yermos: Lugares solitarios y desiertos.

Desguarnecer: Desproveer.

Alcándara: Percha en la que se apoyaban las aves de presa.

Corneja: Cuervo.

Augurio: Presagio.

Pendón: Bandera o estandarte pequeño.

Estribo: Pieza donde el jinete apoya el pie.

De grado: Voluntariamente.

—Mucho me has apretado, Rodrigo. Ahora, en un plazo de nueve días, saldrás de estas mis tierras. Yo te desposeo de tus honores y hacienda. Desterrado queda también y sin mi amor todo el que te sirva y te acompañe. Vete de mis reinos, Cid. Quédenme en rehenes tu mujer y tus dos hijas.

Nueve días de plazo ha dado Alfonso el *Castellano* a Mio Cid para salir de sus tierras. En su casa de Vivar está el buen Campeador con los pocos amigos que se atreven a seguirle. Allí habló Álvar Fáñez de Minaya, del Cid primo hermano:

—Pocos somos, pero firmes. Jamás te abandonaremos por yermos ni por poblados. Contigo gastaremos nuestros caballos, nuestros dineros y nuestros vestidos. Siempre te seguiremos como leales vasallos.

Así sale Mio Cid el *Campeador* de sus tierras de Vivar, y hacia Burgos se encamina. Va derramando llanto de sus ojos y mirando hacia atrás. Queda su casa con las puertas abiertas, desguarnecida de pieles y de mantos, sin azores en las alcándaras. Pero a su diestra mano vuela la corneja, y el Cid se conforta con este buen augurio.

Cuando atraviesa la ciudad de Burgos lleva sesenta pendones tras de sí. Niños, hombres y mujeres a las ventanas se asoman por ver al *Campeador*. Todos decían la misma razón: «¡Qué buen vasallo sería si tuviera buen señor!».

De buena gana le darían albergue en sus casas. Pero el rey lo ha prohibido con severas penas. Anoche llegaron sus cartas ordenándolo así. El Cid llega a la posada donde solía parar; saca el pie del estribo y da con él un gran golpe en la puerta. Pero nadie contesta. Llaman todos con las voces y las armas. Tienen hambre. Si no se los acoge de grado, lo tomarán por la fuerza. Entonces se abre la puerta, y una niña de nueve años habla al Cid desde el umbral:

—*Campeador*, que en buena hora ceñiste espada[3]: no podemos darte asilo, que el rey lo tiene vedado. Si lo hiciéramos perderíamos nuestra hacienda y los ojos de nuestras caras. Sigue adelante, y que Dios te bendiga. Con nuestro mal, buen Cid, no ganas nada[4].

El Cid comprende el llanto de la niña y da la orden de marcha. Triste está su corazón cuando atraviesa Burgos. Fuera de las murallas, al otro lado del Arlanzón[5], manda plantar sus tiendas. También el rey ha prohibido que se le venda ningún alimento. Pero Martín Antolínez, el burgalés de pro, no tiene miedo al rey. Él les da de su pan y de su vino, y se une a la mesnada.

Mesnada: Grupo de hombres armados.

Así pasa Mio Cid, en un arenal, la primera noche de su destierro[6].

Antes de amanecer, el Cid y los suyos siguen su marcha hacia el monasterio de San Pedro de Cardeña. Va el Cid a despedirse de su mujer, doña Jimena, y de sus hijas, que allí le aguardan. Cuando descabalgan al pie del monasterio, cantan los gallos y quiere quebrar el primer albor. Llaman, y todos se alegran dentro al reconocer al Cid. Con luces y candelas salen los monjes al patio. Ved aquí a doña Jimena que llega con sus dos hijas. Muy niñas son aún; a cada una la trae una dama en brazos. Allí habló doña Jimena; llanto tiene en los ojos y le besa las manos.

Albor: Amanecer.
Candela: Vela.

—Aquí, ante vos, me tenéis, Mio Cid, y a vuestras hijas. Bien veo, *Campeador*, el de la barba crecida, que

---

[3] También en la épica castellana destaca el uso de fórmulas fijas que facilitaban la memorización del poema por parte de los rapsodas o juglares.

[4] Esta es una de las escenas más conmovedoras del *Cantar del destierro,* porque muestra la profunda humanidad del héroe. Manuel Machado la recreó en su poema más conocido, titulado «Castilla»; estos son algunos de sus versos: «El ciego sol, la sed y la fatiga. / Por la terrible estepa castellana, / al destierro con doce de los suyos / —polvo, sudor y hierro—, el Cid cabalga».

[5] Afluente del río Pisuerga que pasa por la ciudad de Burgos.

[6] Quizá para no dañar la imagen heroica del Cid Casona suprime su actuación más «realista» antes de partir al destierro: el engaño de que hizo objeto a los prestamistas judíos Raquel y Vidas para sacarles dinero a cambio de unas arcas llenas de arena que les dejó en depósito.

marcháis a vuestro destierro. Estando los dos en vida tenemos que separarnos.

El Cid se inclina para coger a sus hijas. Y en sus brazos las sube hasta su corazón.

Aquel día todos se aposentan en el monasterio. Las campanas de Cardeña tañían a gran clamor. Por las tierras de Castilla corre el pregón de que el Cid sale desterrado. Muchos son los caballeros que dejan sus casas y tierras por seguirle. En el puente del Arlanzón se juntan más de cien. ¡Dios, qué buena compaña en San Pedro se reunió! Allí Minaya Álvar Fáñez, el de la atrevida lanza; allí Martín Antolínez, el burgalés leal; allí Pedro Bermúdez, que cien banderas ganó, y Muño Gustioz, que en la misma casa del Cid se crió, y Álvar Álvaroz, y Galindo García, guerrero de Aragón[7]. Todos le besan las manos. Viéndolos junto a sí, ¡Dios, cómo se sonreía Mio Cid el *Campeador*!

Compaña: Grupo de gente.

Del plazo de nueve días, los seis han pasado ya. Mandado tenía el rey que si pasaban los nueve, ni por oro ni por plata pudiera el Cid escapar. Al finalizar el sexto día, mi señor el *Campeador* los manda a todos juntar.

—Oídme, varones. Mañana, al amanecer, cuando los gallos canten, ensilladme los caballos y partamos. El buen abad don Sancho nos rezará la misa de la Trinidad[8]. Luego, echemos a cabalgar, que ya el plazo viene cerca. Mucho tenemos que andar.

Ya tañían a maitines. Doña Jimena rezaba en las gradas del altar. Después que oyeron la misa de la Santa Trinidad, el Cid besa a sus dos hijas. Doña Jimena no hacía más que llorar y llorar. Allí la abrazaba el Cid. Y así se separaron uno de otro como la uña de la carne. Cantaban entonces los segundos gallos.

Maitines: Rezo eclesiástico de primera hora de la mañana.

---

[7] Casona reproduce aquí un rasgo de estilo muy característico del *Poema de Mio Cid*: la enumeración de los compañeros de armas que acompañaron al héroe en su destierro y le asisten en los hechos de armas.

[8] Misa especialmente solemne que se celebraba el día de la Santísima Trinidad, cuya celebración tenía lugar una semana después de la fiesta de Pentecostés, generalmente en los meses de mayo o junio según las fechas de la Semana Santa.

Con las riendas sueltas ya cabalga Mio Cid, el que en buena hora nació. De todas partes guerreros se le vienen a juntar. Aquella noche duermen en Espínaz de Can. Otro día, de mañana, volvían a cabalgar. Pasan San Esteban de Gormaz y van dejando a su patria a la espalda. De todas partes guerreros se le vienen a juntar. Y al tercer día cruzan el Duero y acampan al pie de Atienza, que es tierra de moros.

El plazo ya está cumplido, Castilla se acaba ya[9].

La primera noche que el Cid duerme fuera de su tierra tuvo un sueño feliz. El arcángel san Gabriel vino a él en una visión y le habló:

—Cabalga, buen Cid, cabalga; cabalga, *Campeador*, que nunca tan en buena hora ha cabalgado varón. Bien irán las cosas tuyas mientras vida te dé Dios.

Mio Cid, al despertar, la cara se santiguó.

Rompen albores del día. ¡Qué hermoso el sol despuntaba!

Aquel día dio el Cid su primera batalla de desterrado. Con cien de sus trescientos caballeros cayó sobre el castillo de Castejón, que está a orillas de Henares. Con los otros doscientos corría Álvar Fáñez Minaya tierras de moros hasta Alcalá[10]. ¡Dios, qué pena que Mio Cid no haya visto a Minaya, montado en su buen caballo, lidiar allí con los moros! Desde su larga lanza le chorrea la sangre codo abajo.

Por todo el Henares se pasea victoriosa la bandera de Minaya y cobra mucho botín de ovejas, vacas, alha-

---

[9] Para dar al lenguaje el adecuado tono de época Casona no duda en incorporar de vez en cuando a su prosa la rima asonante propia del *Poema de Mio Cid*. *San Esteban de Gormaz* es un pueblo soriano cercano a la ciudad de Burgo de Osma; según la teoría de Menéndez Pidal de allí procedía uno de los juglares que compuso el *Cantar de Mio Cid*. *Atienza* es un pueblo de la provincia de Guadalajara donde todavía se conservan los restos de un castillo al que ya se hacía mención en el siglo IX.

[10] Cercana a Madrid, Alcála de Henares, que en época romana llevó el nombre de Complutum, fue sede episcopal con los visigodos, el cardenal Cisneros fundó allí la principal universidad renacentista española, y fue asimismo el lugar de nacimiento de Cervantes.

jas y riquezas sin tasa. Alegre vuelve con todo hacia el castillo de Castejón, que el Cid ha conquistado. El *Campeador* sale a recibirle, y delante de todos le abraza. Después reparte el botín entre todos los suyos. Pone en libertad a cien moros y cien moras para que guarden el castillo y abandonan Castejón, porque las mesnadas del rey Alfonso están cerca y podrían atacarlos. Por nada del mundo querría el Cid luchar contra su señor natural.

Pasan las Alcarrias y Cetina, dejan atrás Alhama y van a posar a un otero redondo frente al castillo de Alcocer. Cerca está el río Jalón[11]. Cerco han puesto al castillo por espacio de quince semanas. Al cabo de ellas, en las torres de Alcocer se alza ya la bandera del Cid.

Otero: Colina.

Mucho pesó de ello al moro Tamín, rey de Valencia y señor de las tierras de Alcocer. Manda a sus emires con tres mil lanzas contra los del Cid, que no son más de seiscientos. Muchos más se unen a los emires por el camino. Sus lanzas y pendones, ¿quién los podría contar? En su castillo de Alcocer han cercado a Mío Cid; el agua les cortan, y los sitian por la sed. A las cuatro semanas, por consejo de Minaya, hacen los cristianos una salida campal. Pedro Bermúdez, que lleva la bandera, pica espuelas a su caballo y se mete solo, gritando, entre la turba de moros. Al verle, grita Mío Cid:

Emir: Autoridad política o militar entre los musulmanes.

—¡Valedle, mis caballeros, por amor del Criador! ¡Aquí está el Cid don Rodrigo Díaz el *Campeador*!

Suenan allí tantos tambores, que su ruido quiere quebrar la tierra. Los cristianos embrazan los escudos delante del corazón, ponen en ristre las lanzas envueltas en sus pendones, agachan la cabeza sobre los arzones y arrancan a galope. Caen todos sobre el grupo donde Bermúdez entró. Allí vierais tantas lanzas subir

Poner en ristre: Sujetar con fuerza.

Arzón: Pieza que limita por delante y por detrás la silla de montar a caballo.

---

[11] *La Alcarría* es una comarca de la provincia de Guadalajara; *Cetina y Alhama* son poblaciones de la provincia de Zaragoza cercanas a Calatayud; *Jalón,* el afluente mas importante del Ebro por la derecha, pasa por Calatayud; *Alcocer* es un pueblo de la provincia de Guadalajara.

Adarga: Escudo ovalado de cuero.

Loriga: Coraza formada por escamas metálicas.

y bajar, romperse las adargas, desgarrarse las mallas y lorigas, teñirse en sangre los blancos pendones y desbocarse los caballos sin jinete.

¡Qué bien lidiaba Mio Cid sobre su dorazo arzón, la crecida barba al viento, el yelmo echado atrás y la espada en la mano! Y Álvar Fáñez Minaya, el de la atrevida lanza. Y Muño Gustioz. Y Galindo García. Y todos cuantos son. ¿Qué os diré de Martín Antolínez, aquel burgalés leal? Cuando mete mano a su espada, relumbra todo el campo.

¡Dios, qué buen día fue aquél para la cristiandad! Más de mil moros dejaron su sangre sobre el campo. Y tanto oro y tanta plata, que nadie podía contarlo[12].

Así venció Mio Cid en batalla campal. Después habló a Álvar Fáñez:

—Vos, Minaya, que sois mi brazo derecho, quiero

Nuevas: Noticias.

que llevéis estas nuevas a Castilla. Y a mi rey don Alfonso le diréis que no le guardo rencor. Besadle por mí las manos. Treinta caballos le llevaréis en mi nombre,

Gualdrapa: Cobertura para cubrir y adornar el lomo de los caballos.

todos con sus gualdrapas y espadas de oro y rubíes colgando de los arzones. Id luego a San Pedro de Cardeña y llevad con mi amor este oro y esta plata a mi mujer y a mis hijas. Que recen a Dios por mí.

Cuando el rey tuvo estas noticias del Cid, gran alegría sintió. Por venir de moros aceptó sus presentes. Y autorizó a todo el que quisiera para seguir al Cid en su destierro. Pero su orgullo es mucho. Todavía no ha querido perdonarle.

Más de tres años lleva el Cid guerreando en tierras extrañas. Ha conquistado a Daroca, y Molina, y Celfa la del Canal. También ha vencido al orgulloso conde don Ramón de Barcelona en el pinar de Tévar. Allí ganó su famosa espada Colada.

---

[12] El juglar o recitador no permanece indiferente ante lo que narra: está claramente al lado del Cid o de Roldán, por eso introduce a menudo en los versos exclamaciones, interrogaciones retóricas e invocaciones a Dios que manifiestan su entusiasmo ante los triunfos del héroe o el dolor frente a sus desgracias. La prosa de Casona asimila todo ello con probada maestría.

Ahora guerrea de frente a la mar salada. Ha tomado
a Burriana y a Murviedro[13]. Mucho pavor toma de ello
el rey de Valencia, que ve talada su huerta y asoladas   *Talada:* Cortada.
sus cosechas de pan. Crece con todo esto la fama de
Mio Cid el de Vivar. Y manda pregones por tierras de
Aragón y de Navarra. También por tierras de Castilla:
que se le acojan cuantos quieran ayudarle a luchar contra el moro de Valencia. Muchos acuden a su pregón;
sesenta eran cuando salió de Vivar; ya pasan de tres mil.

Al fino pone cerco a esa hermosa ciudad, Valencia
la Mayor. Nueve meses la tuvo cercada. Y al décimo la
rindió. ¡Qué alegres se ponen todos cuando en lo alto
del alcázar vieron su enseña plantar!   *Enseña:* Bandera.

También venció allí al rey de Sevilla, que vino en
ayuda de los valencianos, y le ganó su caballo *Babieca*.
De tan gran botín como ganó, cien caballos manda al
rey Alfonso de Castilla, pidiéndole que deje en libertad
a doña Jimena y a sus hijas para que vengan a su lado.
Álvar Fáñez Minaya va a llevar este mensaje.

Quiero ahora deciros[14] lo que en Castilla se vio.
Cuando Alfonso el *Castellano* supo la conquista de Valencia la Mayor, mucho se alegra su corazón. Alzó su
mano derecha y dio a Minaya esta respuesta. ¡Dios,
qué hermosamente habló!:

—Di a mi buen vasallo el Cid que acepto su dona-
ción. Que cuando vuelva a mi reino le abrazaré con
mis brazos. Al cumplirse tres semanas le recibiré en mi
tienda, orillas del río Tajo. Vayan libres doña Jimena y
sus hijas doña Elvira y doña Sol. Y mientras cruzan mis
tierras, aquí mando a mis soldados que les den guarda
de honor.

---

[13] *Daroca* es una importante localidad de la provincia de Zaragoza en el camino natural
hacia el litoral levantino; *Molina* es una localidad de la provincia de Guadalajara; Burriana
es un municipio de la provincia de Castellón; *Murviedro* es el nombre visigodo de Sagunto,
puerto de mar cercano a la ciudad de Valencia.

[14] Otro ejemplo de la frecuente apelación al receptor plural en la épica castellana, los an-
teriores «allí vierais» o «¿qué os diré?» se complementan con este «deciros».

Cendal: Tela muy fina.

Petral: Correaje al pecho del caballo.

Palafrén: Cabello adornado para grandes solemnidades.

Atalajado: Ataviado.

Alcázar: Castillo musulmán.

Con Minaya llegan a Valencia doña Jimena y sus hijas. Mio Cid *Campeador* dispone en su honra festejos y juegos de armas. Y sale a recibirlas al frente de cien jinetes con caballos muy hermosos, con gualdrapas de cendal y petral de cascabeles. Allí vierais tanto hermoso palafrén, tantos vistosos pendones con escudos de guarniciones doradas, y ricas pieles y mantos de Alejandría. Tiene Mio Cid muy crecida la barba; viste túnica de seda y cabalga en su *Babieca* atalajado de plata. Al verle, doña Jimena a los pies se le arrojaba. Y con llanto de los ojos el Cid abraza a sus hijas.

Después las sube al alcázar para que desde allí contemplen toda la hermosa Valencia. Ya se había ido el invierno, y marzo quería entrar. Vierais allí ojos tan bellos a todas partes mirar; a sus pies la ciudad tienen y al otro lado la mar. Y la huerta, tan ancha y tan frondosa, que daba gloria mirar. Todo es heredad del Cid, que con honra la ganó, con su caballo y su espada.

Al cabo de tres semanas, según dispusiera el rey, Mio Cid vuelve a su patria. Orillas del río Tajo el buen rey le recibió. Al verle, el *Campeador* manda a los suyos parar y hacia él se adelanta solo el que en buena hora nació. De rodillas se echa al suelo, las manos en él clavó. Aquellas hierbas del campo con sus dientes las mordía, y del gozo que tenía las lágrimas se le saltan. Levantar le manda el rey, y allí delante de todos en sus brazos le abrazó.

Así terminó el destierro de Mio Cid *Campeador*.

Tristán e Iseo

Esta es la famosa historia de Tristán e Iseo[1], que, separados en la vida, se unieron más allá de la muerte. Hay en ella unas golondrinas mensajeras, un filtro mágico, una espada desnuda y un enano traidor. Y por encima de todo, el Amor y la Fatalidad. Aquí la escucharéis, dividida en «lais» o cantos, tal como la contaban, de pueblo en pueblo, los antiguos trovadores franceses y normandos.[2]

INFANCIA DE TRISTÁN

FUE ANTAÑO, cuando Marco reinaba en Cornualles[3]. Una vez que los piratas asaltaron sus costas, el rey de Leonís vino a prestarle auxilio. Con su espada y su consejo le ayudó hasta que la tierra de Cornualles se vio libre de enemigos. Entonces Marco, en prenda de gratitud, le dio por esposa a su hermana, la bella Blancaflor. Y él mismo unió sus manos en ese dorado cas-

Antaño: Antiguamente.

---

[1] Se trata de una de las leyendas medievales más difundidas, con derivaciones en casi todas las lenguas de Occidente. Hubo una versión escrita por el novelista francés Chrétien de Troyes en el siglo XII, pero el conjunto de la historia es el resultado de las aportaciones de diversos poetas cultos. María de Francia lo incluyó entre sus narraciones en verso o «lais» bajo el título de *Madreselva*, y en *Flor nueva de romances viejos* Menéndez Pidal recoge un romance titulado «Tristán e Iseo».

[2] *Trovadores normandos*: De Normandía, región del noroeste de Francia, separada de Gran Bretaña por el Canal de La Mancha. Aquí, Casona asimila dos oficios distintos: el trovador componía poemas (casi siempre de tema amoroso), mientras que el juglar se ganaba la vida recitando o actuando en Cortes y aldeas.

[3] Casona parece especialmente emocionado con esta leyenda: obsérvense este párrafo, breve y sugestivo en su imprecisión histórica, que podría ser considerado un verso de catorce sílabas o alejandrino, así como el tono más literario de la presentación, con la apelación a los receptores («escucharéis») propia del estilo épico. *Cornualles* (Cornwall en inglés) es la península, al sur de Gran Bretaña, que ocupa el extremo occidental.

Almena: Cada uno de los remates dentados de las murallas.

Sinople: Color verde.

Azur: Azul.

Tornaboda: Día después de la boda.

Púrpura: Color rojo intenso.

tillo de Tintagel, que tiene las almenas alternadas de sinople y azur.

Allí se casaron el rey de Leonís y Blancaflor. Allí fueron los torneos, las monterías y las danzas de la tornaboda. Y de allí salió la bella Blancaflor, en una nave de púrpura, para su nuevo reino de amor en Leonís.

Pero ¡ay Dios, qué poco duró la ventura de la casada!

A los pocos días de la boda, el esposo tuvo que abandonarla para acudir a nuevas guerras. Blancaflor esperó en triste soledad un día y otro día; vio segar las espigas y caer luego la nieve. Y un mal día vio llegar al castillo un emisario enlutado. El rey de Leonís había muerto.

Blancaflor lloró tres días, pálida y llena de fiebre. Al cuarto día dio a luz un niño. Era la más bella criatura que había conocido el mundo. La madre lloró aún más al verle tan hermoso. Y le habló así:

—Hijo mío, con lágrimas te he esperado; con lágrimas te recibo. Tú, que en medio de tanta tristeza llegas hoy al mundo, te llamarás Tristán.

Después besó al niño y murió.

Entonces el fiel escudero Gorvenal ocultó el recién nacido para librarle de sus enemigos triunfantes; y le educó a su lado, haciéndole pasar por hijo suyo. Gorvenal enseñó al niño Tristán todo lo que debe saber el buen caballero: le enseñó a manejar el caballo y la espada, a cantar al son del arpa, a detestar la mentira y la traición, a proteger a los débiles y a guardar la fe jurada.

Un día en que Tristán, ya adolescente, jugaba en la playa, fue robado por unos piratas noruegos, que le llevaron a la fuerza a bordo de su nave para venderle en lejanas tierras como cautivo. Pero el mar, que, como saben bien los navegantes, no protege raptos ni traiciones, se encrespó furiosamente, y por espacio de ocho días y ocho noches los arrastró a la ventura en medio de gran tiniebla. Hasta que los piratas, arrepentidos, para calmar la furia del mar, juraron dejar al

niño en libertad, poniéndole en una barca sobre las negras aguas.

Entonces las olas se calmaron, el sol brilló de nuevo, y Tristán arribó solo a una costa desconocida.
Atravesó la playa y se internó en el bosque. De
pronto le sorprendió el clamor de un cuerno de mon-
tería, y un ciervo herido vino a caer a sus pies. Detrás
apareció un tropel de cazadores y escuderos y un caballero de barba blanca, al que todos saludaban como
a su señor.

Cuerno:
Instrumento de
viento hecho en
cuerno de vaca
o buey.

El caballero, impresionado por la bella presencia
del muchacho, se acercó a él y le preguntó por su
nombre y por su patria.

—Me llaman Tristán, señor, porque nací en medio
de una gran tristeza. Me he perdido en el mar, en busca de aventuras. Mi patria es Leonís.

—Seas bien venido —respondió el caballero—. Los
hombres de Leonís salvaron una vez mi reino. Tu patria me es querida como la mía propia.

Cuando al atardecer regresaba el cortejo, Tristán vio
asomar a los lejos una fortaleza reluciente, almenada
de sinople y azur.

—¿Qué castillo es aquel, mi señor? —preguntó
Tristán.

—Es el dorado Tintagel. Allí casaron, en horas más
felices, el rey de tu país y la dulce Blancaflor.

Por la noche, bajo los candelabros de bronce, los
poetas de la corte entonaron canciones de amor y de
guerra. Tristán quiso cantar también, y acompañándo-
se con el arpa de cuerdas de plata, entonó la más bella
y triste de sus canciones.

—Calla, calla, Tristán —dijo el caballero, sin poder
ocultar sus lágrimas—. ¿Quién te ha enseñado esos
versos? Así cantaba, en horas más felices, mi hermana
la dulce Blancaflor.

He aquí, señores, que la fortuna había trazado un
extraño camino. Tristán, cautivo de piratas y lejos de
su patria, había ido a parar al reino de Cornualles, sal-

vado por su padre; estaba cantando en el dorado Tintagel, donde casó su madre, y al lado de su tío, el poderoso Marco.

Dadme ahora de beber[4]. Y si el relato no os cansa,
luego os diré cómo luchó con el gigante de Irlanda[5] y
cómo vino a conocer a Iseo, la bella de los cabellos de
oro.

LA BELLA DE LOS CABELLOS DE ORO

El reino de Cornualles está en gran duelo. El rey
Marco reúne en su palacio a todos sus caballeros. A la
cabeza de ellos está el bravo Tristán.

—Oíd, mis barones: hoy se cumplen cuatro años
del pacto que nuestra mala ventura nos obligó a firmar
con los fieros irlandeses. Por ese pacto estamos obliga-
dos a pagarles un tributo anual, que va creciendo en
valor. El primer año fueron trescientas libras de cobre.
El segundo, trescientas libras de plata. El tercero, trescientas libras de oro. Y siempre hemos pagado. Pero
hoy el tributo es más penoso: el rey de Irlanda exige
esta vez las trescientas muchachas más hermosas de
Cornualles. Solo venciendo en singular combate al gigante de Irlanda, que se nos envía como emisario, podemos rescatar nuestra libertad. ¿Toleraréis, mis barones, el cautiverio infame de vuestras hijas[6]?

Un gran silencio acoge las palabras del rey Marco.
Los barones tienen lágrimas en los ojos; sus manos

Libra: Moneda;
peso equivalente
a medio kilo.

Barón: Título
nobiliario.

---

[4] Recurso típico de la épica occidental: el juglar o recitador solicita un vaso de vino por
sus servicios. En España, los autores cultos del mester de clerecía lo introdujeron también
en sus poemas de temática religiosa para acercarse al receptor popular.

[5] La isla de Irlanda está situada en el noroeste del archipiélago británico; su aguas son
escenario de las travesías marítimas tan abundantes en el conjunto de leyendas denominado «materia de Bretaña».

[6] La presencia de la tradición grecolatina resulta muy clara en esta leyenda, en particular, aquí, el mito del minotauro de Creta. El héroe griego Teseo se enfrentó y venció al mons-
truoso minotauro (cabeza de toro y cuerpo de hombre), al que tenían los cretenses que pa-
gar un tributo en jóvenes y doncellas; aquí Tristán vence al gigante irlandés para impedir la
entrega de las trescientas muchachas.

tiemblan de ira. Pero ninguno se atreve a luchar cuerpo a cuerpo con el gigante de Irlanda. Entonces Tristán se adelanta:

—Tío y señor, concededme a mí el honor de aceptar ese combate.

El rey Marco palidece al oírle. Grande es su amor por el joven Tristán, y cierta la muerte del atrevido. Pero Tristán insiste en su demanda; los barones le aclaman, y el rey Marco acaba por inclinar la cabeza, dándole su venia.

Venia: Permiso.

El singular combate se celebra en una isla cercana, adonde solo pueden acudir los dos campeones. Tristán, armado con blancas armas y penacho rojo, sube a su barca y se interna en el mar. Las madres de Cornualles le despiden besando sus manos. Y suenan las campanas.

Penacho: Adorno de plumas colocado en los cascos.

De la otra orilla, donde los irlandeses gritan enardecidos, sale al mismo tiempo la barca del gigante. Lleva orgullosa en el mástil una rica vela de púrpura. Es el más corpulento y terrible de los guerreros de Irlanda; es hermano del rey y tío de la princesa Iseo, la de los cabellos de oro.

Cuanto Tristán llega a la isla, el gigante ha desembarcado ya y amarra su barca en el juncal. Tristán salta de la suya y, empujándola vigorosamente con el pie, la rechaza hacia el mar.

Juncal: Lugar poblado de juncos.

—¿Qué hacéis, señor? —grita el gigante—. ¿Por qué no amarráis vuestra barca a la orilla?

Tristán contempla al feroz enemigo, armado con armas negras. Y responde:

—¿Para qué, señor? Ya está amarrada la vuestra. Una sola bastará para el que vuelva.

Con estas palabras se internan en el bosque[7].

Nadie presenció la terrible batalla. La isla parecía enterrada en silencio. Dicen los antiguos que por tres

---

[7] En este relato cobra especial importancia el bosque como ámbito a la par desconocido y fascinante, muestra del poderío de la naturaleza y escenario donde tienen lugar acontecimientos claves en el desarrollo de la trama.

veces se oyó un sordo rugido. Luego, un grito de muerte. Y después, nuevamente el silencio.

Nona: Novena.

Al fin, hacia la hora nona, aparece a lo lejos la barca irlandesa con su vela de púrpura. Entonces los hombres de Cornualles caen de rodillas ocultando su rostro entre las manos, al mismo tiempo que los irlandeses lanzan un grito de triunfo.

Pero ¿qué es esto, Dios? El que conduce la barca va armado de blancas armas; su penacho es rojo... Vedle:

Blandir: Mover con aire amenazador.

ahora se yergue en la proa, blandiendo en sus manos dos espadas. ¡Es el héroe Tristán!

Guantelete: Parte de la armadura que protege la mano.

Cuando salta a tierra, mientras las madres, de rodillas, besan sus guanteletes de hierro, Tristán habla a los emisarios enemigos:

—Señores de Irlanda, vuestro capitán ha combatido como un valiente. Un trozo de mi espada queda enterrado en su carne. Llevad ese trozo de acero a vuestro rey. ¡Es el último tributo de los cornualleses!

En la lejana Irlanda, Iseo, la de los cabellos de oro, llora la muerte del gigante su tío. Para poder vengarse algún día, guarda en su arqueta de marfil el trozo de espada que le mató. Y aprende a maldecir el nombre de Tristán de Leonís.

Entre tanto, en el dorado Tintagel, Tristán languidece de un horrendo mal. En la lucha, el irlandés le ha herido con un dardo envenenado, y nadie en Cornualles sabe curar aquella llaga.

De día en día, la llaga de Tristán se hace más grande y más negra, y despide un olor nauseabundo. Tanto, que sus mismos amigos no se atreven a acercarse a su lecho. Solo el buen Marco sabe vencer su repugnancia para acariciar con gratitud las manos del héroe y besar con amor la frente del sobrino.

Una noche Tristán llamó a su lado al fiel escudero Gorvenal.

Ayo: Criado que hacía la función de maestro.

—Ayo querido —le dijo—, no puedo soportar más tiempo este dolor. Preferible es la muerte a tanta miseria. Llévame a la playa y déjame solo en una barca. El mar es viejo amigo mío, y si algún remedio puedo encontrar en este mundo, las olas me llevarán a él.

Nunca Gorvenal desobedeció a su señor. Cogió amorosamente entre sus brazos el cuerpo llagado y lo depositó en una barca sin velas ni remos. El héroe sólo aceptó llevar consigo su arpa de plata.

Así, bajo las estrellas, Tristán fue abandonado al mar.

Siete noches después, la princesa Iseo, paseando por su jardín, junto al mar, oyó una extraña música que parecía surgir de las aguas. Era una dulce melodía, apagada y triste como una arpa de plata. Iseo, turbada ante el milagro, se acercó a la playa y vio venir entre las olas una barca sin velas y sin remos. Nadie la conducía, y de ella parecía brotar la música maravillosa.

Cuando la barca llegó a la arena, se apagó la melodía. Tristán tenía los ojos cerrados. Sus manos habían caído inertes sobre las cuerdas, todavía temblorosas.

La bella Iseo, compadecida, llevó al desconocido a su palacio. Le depositó en su lecho de pieles y lavó su llaga con bálsamos aromáticos. Tenía la princesa una peregrina habilidad en preparar hierbas y filtros mágicos. Y gracias a sus artes, la honda llaga comenzó a curarse.

Cuarenta días permaneció Tristán en el palacio de Iseo. Cuando empezó a poder hablar, la princesa le preguntó su nombre y su patria. Pero Tristán, comprendiendo que se hallaba en tierra enemiga, mintió diciendo que era un pobre juglar que navegaba hacia España para aprender el arte de leer en las estrellas; que unos piratas habían asaltado la nave, y solo él, herido por un dardo emponzoñado, había podido escapar en su barca.

Emponzoñar:
Envenenar.

Durante aquel tiempo, Iseo curaba todos los días la llaga del juglar. Él le pagaba con devoción y gratitud, acariciando sus cabellos de oro.

¡Ay, qué extraños caminos elige la fortuna! Iseo empezaba a amar en su corazón al juglar. Al mismo tiempo juraba odio y venganza contra el matador de su tío. Y he aquí, señores, que el juglar desconocido era el propio Tristán de Leonís[8].

EL MENSAJE DE LAS GOLONDRINAS

Pasados los cuarenta días y sintiéndose curado, Tristán abandonó secretamente el palacio de Iseo y regresó con su barca a Tintagel.

Los barones de Cornualles, viendo que su rey envejecía sin hijos, obligaron al anciano Marco a jurar que se casaría. Tristán, por miedo a que se pudiera sospechar que deseaba el trono para sí, aconsejó también el casamiento del rey.

Ardid: Artificio. Pero Marco, que quería legar su trono a Tristán, buscó un ardid para no casarse y complacer al mismo tiempo a sus vasallos.

Y fue así: dos golondrinas habían entrado por el ventanal en la sala del palacio y habían dejado caer de su pico un cabello de mujer. El rey Marco lo recogió y dijo a sus consejeros:

—Sea, puesto que lo queréis. Yo me casaré con la mujer a quien pertenezca este cabello. Buscadla por el mundo.

Los barones sintiéronse burlados con esta respuesta. El rey sonreía maliciosamente, satisfecho de su ardid. Pero Tristán, que contemplaba con emoción el largo cabello de oro traído por las golondrinas, dijo:

—Solo una mujer hay en la tierra que tenga tan largos y dorados los cabellos. Es la bella Iseo. Yo iré a buscarla y te la traeré, señor, aunque tuviera que luchar con todos los irlandeses.

---

[8] Casona adopta de nuevo las formas del narrador oral para dirigirse directamente al auditorio y comentar aspectos de lo que está ocurriendo de una forma personal y subjetiva.

Tristán se hizo nuevamente a la mar y desembarcó en las costas de Irlanda. Un feroz dragón asolaba en aquellos días el país; el rey, consternado, había prometido la mano de su hija Iseo al que matase al monstruo[9].

El héroe de Leonís realizó la hazaña que ningún irlandés se había atrevido a intentar. Después se presentó ante el rey diciendo:

—Mi espada ha matado al dragón. Mía es la mano de tu hija. Pero yo, simple vasallo, no puedo aceptar tan grande honor. Dame a la princesa Iseo para mi señor el rey Marco de Cornualles y sea este casamiento prenda de paz entre los dos pueblos.

Así lo juró el rey de Irlanda en medio de sus nobles. Y la princesa fue entregada al vencedor del monstruo. Pero la bella de los cabellos de oro no pudo contener un grito de asombro al ver al caballero. ¡Era el mismo a quien había conocido disfrazado de juglar!

EL FILTRO

Al ir a zarpar la nave de Tristán con la princesa Iseo, la reina preparó un extraño brebaje con hojas y flores y raíces. Y llamando aparte a Brangania, su doncella de confianza, le habló así:

Brebaje: Sustancia líquida de sabor desagradable.

—Temo que mi hija pueda ser desgraciada en la corte de Cornualles. Tú, que me eres fiel, lo evitarás. Toma esta redoma de plata y escóndela, de modo que nadie puede verla. Y cuando se celebre el banquete de bodas, vierte ese vino mágico en la copa del rey Marco y en la boca de la bella Iseo. Es el «filtro de amor»: aquellos que lo beban se amarán siempre, en la vida y en la muerte.

Redoma: Vasija para guardar líquidos, ancha en la base y estrecha en la boca.

---

[9] También aquí aparece la prueba o desafío que debe superar el héroe para alcanzar un beneficio: en este caso, la mano de la princesa; se trata de la forma más evidente de resaltar la grandeza del protagonista frente a sus rivales en el contexto de una mentalidad primitiva donde se exaltan comportamientos básicos del ser humano.

Así lo prometió Brangania. Y la nave de Tristán se hizo a la mar.

En su tienda de púrpura, sobre cubierta, Iseo, la de los cabellos de oro, lloraba sin cesar viendo alejarse las playas de Irlanda. No quería abandonar su tierra, no sentía amor por el viejo rey a quien iba prometida, y maldecía en su corazón al hombre que había venido de Cornualles a conquistar su mano.

Un día en que todos los vientos se pararon y la mar quedó inmóvil como un espejo, los tripulantes descendieron en una pequeña isla. Solo quedó a bordo Iseo con la fiel Brangania. Tan triste estaba la princesa, que en aquella hora decidió quitarse la vida. Buscó para ello una espada, y colgada a la entrada de su tienda encontró la de Tristán. Pero al desenvainarla vio que tenía roto uno de los filos. Por la forma de la rotura y por la calidad del acero sospechó que aquella espada pudiera ser la misma que había matado a su tío. Y habiéndolo comprobado con el trozo que guardaba en su arqueta, conoció que el hombre que la había conquistado, el juglar herido, el vencedor del dragón, el que la llevaba en su nave hacia unos brazos desconocidos, era el odiado Tristán de Leonís.

«¡Muera el traidor! —se dijo Iseo—. Y muera yo con él, ya que la vida solo tiene amarguras para mí».

Sigilo: Secreto.   Entonces, con gran sigilo, dejó la espada en su sitio y se puso a preparar un bebedizo según las artes que había aprendido de su madre. Mezcló, como ella, hojas de flores y raíces extrañas. Pero en vez de hierba del amor coció en el vino la hierba de la muerte. Iseo no sabía que, escondida detrás de un tapiz, Brangania espiaba sus movimientos.

Cuando a la noche Tristán y sus guerreros volvieron al barco, Iseo le llamó a su tienda.

—Vasallo —le dijo—, como a una cautiva me llevas en tu nave. Pero cuando me has visto llorar, has tocado tu arpa de plata para consolarme. Por eso te perdono. Bebamos juntos la copa de la paz.

Y volviéndose a su doncella, agregó:

—Tráenos, Brangania, una redoma que encontrarás en mi mesa.

Brangania obedeció temblorosa, comprendiendo el terrible mandato. Pero al coger la redoma de veneno, su corazón desfalleció. Pensó en el bravo Tristán y en la blanca Iseo; eran los dos jóvenes y hermosos. ¿Podía perdonar el cielo que se les diera a beber la muerte? Entonces Brangania cambió las redomas; en vez del filtro de Iseo, cogió el que le había entregado la reina, y llenando con él dos copas sirvió a sus señores.

Ambos bebieron mirándose en silencio. Un gran temblor sacudió sus pulsos; sus pupilas brillaron encendidas, y la sangre, loca de alegría, golpeó sus sienes. Iseo, turbada por un repentino rubor, se tapó el rostro con las manos y se dejó caer desfallecida sobre el lecho. Tristán, sin acertar a decir palabra, abandonó la tienda, apretándose el corazón como una herida.

En su lecho de pieles, Iseo se retorcía las manos, desesperada. Quería odiar a Tristán, pero sentía que su corazón le amaba apasionadamente.

Entre tanto, acodado en la borda, meditaba Tristán: «Soy un traidor —se decía—. La bella de los cabellos de oro es la esposa de mi tío y señor, y debe ser sagrada para mí. Para el rey Marco la vine a buscar, para el rey Marco la conquisté. Córtenme las manos antes que toque uno solo de sus cabellos; sáquenme los ojos antes que me atreva a alzarlos para mirarla».

Pero el poder del filtro maravilloso es superior a toda voluntad. Tristán paseaba, luchando consigo mismo, sin poder conciliar el sueño. Tampoco Iseo podía dormir.

Así, desvelados y atormentados por el filtro del amor, fueron a encontrarse sobre cubierta. Y así se besaron entre la luna y el mar.

Brangania lloraba ante lo irremediable, recordando las palabras de la reina: «Aquellos que beban de este vino se amarán siempre, en la vida y en la muerte».

ISEO, ENTREGADA A LOS LEPROSOS

Cuando la nave nupcial arribó a Cornualles, el rey
Marco y sus barones esperaban en la playa, rodeados
de una inmensa muchedumbre. La belleza de Iseo cau-
tivó a todos. Y el rey, tomándola de la mano, la llevó a
todo honor sobre una alfombra de flores hasta el dorado Tintagel.

Marco era feliz junto a la esposa, y un día y otro día
daba gracias en su corazón a las golondrinas que le habían llevado el mensaje de amor.

Pero la reina Iseo vive en gran tristeza. Entre sus joyas y sus sedas, entre los cantos de los trovadores y los
tapices bordados de leopardos, Iseo desfallece de amor
por Tristán.

También el héroe de Leonís está pálido y triste. Por
encima de su voluntad leal, por encima de la reverencia que ambos deben al rey Marco, un amor de sortile-

Sortilegio: gio los une para siempre. Tristán mira las ventanas de
Encantamiento. Iseo como el ciervo sediento mira al río, y llora su desventura. Porque así es el triste amor, señores: como
una zarza de flores blancas y afiladas espinas, que se
hunde en la sangre del corazón[10].

Pero ¡ay!, que amor no se puede guardar.

Una noche en que el rey Marco había salido de cacería, Tristán se hallaba pensativo bajo un pino en el
bosque de Tintagel. Al pie del árbol había una fuente,
y de ella nacía un arroyo que atravesaba el jardín real
y pasaba por la cámara de Iseo. Tristán arrancó una
corteza del pino, y grabando en ella unas palabras de
amor, la arrojó a la corriente.

Iseo, lavando sus velos en el arroyo, recogió el mensaje y sigilosamente, entre las sombras, acudió junto al

---

[10] Como en el caso de la *Ilíada*, Casona reproduce de maravilla el elevado estilo épico
con la adaptación de comparaciones bellísimas, como las que figuran en este párrafo.

amado. Allí, bajo el pino de la fuente, enlazaron sus manos, prodigándose palabras de ternura y de consuelo.

Y así hicieron la segunda noche. Y la tercera.

Entonces fue cuando el maldito enano Froncín, que sabía leer en las estrellas, descubrió la estratagema de los amantes y los denunció al rey Marco. El rey se puso rojo de cólera al oír la acusación y juró dar muerte al enano si decía mentira. Pero quiso convencerse por sí mismo, y abandonando secretamente la cacería, llegó de noche y se encaramó, ocultándose entre las ramas del pino.

A medianoche llegó Tristán y arrancó una corteza del árbol; pero al inclinarse para grabar el mensaje vio reflejarse en la fuente la sombra del rey.

Por esta vez, Tristán e Iseo pudieron librarse del castigo. Pero el maldito Froncín, viendo en peligro su propia vida, insistió, diciendo.

—Yo te juro, rey Marco, que Tristán e Iseo se aman. ¿Quieres tener una prueba? Pues bien: ordena a Tristán que salga mañana al amanecer con un mensaje tuyo para la corte del rey Arturo[11]. Antes de emprender tan largo viaje intentará despedirse de su amada. Abandona tu cámara esta noche, espíalos, y mátame si no los sorprendes.

Y así se hizo. El rey dio a Tristán la orden de partida y abandonó el palacio. Froncín, secretamente, compró un saquillo de flor de harina y, cuando todos dormían, la esparció cuidadosamente por el suelo de la cámara de Iseo. De este modo, la huella de las pisadas descubriría al que entrase.

A medianoche, Tristán, atormentado por la idea de tener que marchar sin una palabra de despedida, llegó a la cámara y descorrió el tapiz. A la luz de la luna que en-

---

[11] La Corte del rey Arturo y sus caballeros de la Tabla Redonda es el centro de un amplísimo conjunto de leyendas caballerescas difundidas por toda Europa bajo el nombre de «materia de Bretaña». En realidad este rey no existió: se trata de la invención de un monje bretón (Godofredo de Monmouth, en su *Historia de los reyes de Bretaña,* escrita en 1136) para contrarrestar la poderosa presencia legendaria y literaria del emperador francés Carlomagno.

traba por el ventanal vio todo el suelo blanco y comprendió el peligro. Pero no por eso renunció a besar las manos de la amada. Se desciñó la espada, juntó todas sus fuerzas en un solo impulso, y dando un salto gigantesco, fue a caer a los pies del lecho sin tocar el suelo.

Después deshizo el camino con otro salto igual. Pero el enorme esfuerzo le abrió la herida mal cerrada que los colmillos de un jabalí le habían hecho en un muslo. Un largo reguero goteado de sangre, desde el lecho hasta la puerta, acusaba el paso de Tristán. Aquella sangre y la herida abierta del héroe eran una aplastante prueba.

Tal fue la cólera del rey Marco al comprobar la traición, que hasta los muros de Tintagel temblaron ante su rostro. Ciego de ira, ordenó que Tristán, atado de manos como un villano, fuera conducido a la hoguera.

En una alta planicie, junto a la costa, se enciende la *Pira:* pira de abetos y retamas. Un humo negro la envuelve; Figuradamente, las rojas llamas suben al cielo. Pero Tristán, rompiendo hoguera. sus ligaduras, se lanza de un increíble salto desde la roca a la playa. Por dos veces se levanta y vuelve a caer aturdido sobre la arena. La noche protege su fuga.

Todavía hoy se enseña al viajero en Cornualles la roca famosa, llamada «Salto de Tristán».

Entonces el rey Marco vuelve su ira enloquecida contra la esposa. Todos los tormentos conocidos le parecen poco para ella. Y su alma, torturada por los celos, imagina uno terrible. Sabedlo todos y maldecid la hora en que un hombre pudo pensar tal cosa: Marco ordenó que la dulce Iseo fuera entregada a los leprosos.

—Sea su esclava y su botín —gritó el rey—. Viva *Hediondas:* en sus chozas hediondas, duerma entre sus llagas. Y Malolientes. llore sin libertad por mis bosques con los lobos hambrientos.

Con aullidos de júbilo se apoderaron de su presa los leprosos. Rasgando su carne, le arrancaron sus velos, sus anillos y sus collares, y la arrastraron consigo camino del bosque.

Pero de pronto, un caballero armado de punta en blanco apareció ante sus ojos, y el brillo de una espada los hizo retroceder. El caballero, inclinándose sobre el arzón, recogió en sus brazos a la infortunada reina; miró con severa repugnancia a la turba de leprosos, sin herir a ninguno, y desapareció a galope, internándose en el bosque de Morois.

¿Quién no recuerda las blancas armas y el penacho rojo del caballero? Es el héroe Tristán de Leonís[12].

Armar de punta en blanco: Armar con todos los adornos y los atributos.

Arzón: Pieza que limita por delante y por detrás la silla de montar a caballo.

Penacho: Adorno de plumas para el casco.

LA NOCHE DE MOROIS

Dos veranos y dos inviernos vivieron en el bosque los enamorados. Tristán cazaba el jabalí y el ciervo. En un refugio de árboles espesos habían levantado su cabaña de hojas y ramas secas. Y cuando la noche caía, falto de trovadores y arpas de plata, Tristán imitaba el canto del ruiseñor.

Un día un labrador descubrió casualmente el refugio de los enamorados y corrió a palacio con la noticia. El rey Marco le pagó en escudos de oro la acusación. Y por la noche, a solas, sin prevenir a nadie, se encaminó a la espesura de Morois. Cuando a la luz de la luna divisó la choza de hojas y ramas, desmontó, ató su caballo a un manzano verde y avanzó sin hacer ruido.

Era verano. Tristán e Iseo dormían sobre la hierba, a la entrada de la cabaña. La espada desnuda del héroe, separando sus cuerpos, brillaba entre los dos.

El rey Marco se acercó a los dormidos, se desciñó el manto, se descalzó los guantes de armiño y desenvainó su espada, levantándola sobre la cabeza. Pero al ir a descargar el golpe, sus brazos desfallecieron. Tristán e Iseo sonreían entre sueños, bien ajenos a la muerte que

Armiño: Pequeño mamífero de fina y apreciadísima piel.

---

[12] El uso de la interrogación retórica para reforzar la afirmación del narrador y acercarse además a su auditorio es otro recurso característico de la poesía narrativa de trasmisión oral.

rondaba tan cerca. «¡Ah, desdichado sobrino! —pensaba el rey—. Tú has salvado a mi pueblo y el honor de mis armas. Eres el hijo de mi hermana, el mejor de mis vasallos. Tu corazón sufre por mi causa, y, sin embargo, nunca me has odiado. ¿Cómo puedo yo matarte mientras duermes?»

Silencio. Ni una hoja se mueve en el bosque de Morois. «¡Ay, desdichada Iseo! —volvió a pensar—. ¿Por qué las golondrinas me trajeron tus cabellos de oro? Tú no podías amarme. Solo por el bien de tu pueblo aceptaste la boda de paz, y solo dolor y sacrificios hallaste a mi lado. Sé que tu corazón no es mío; pero mi viejo corazón sí es tuyo. ¿Cómo puedo yo matarte mientras duermes?»

Silencio. Ni una sola hoja se mueve en el bosque de Morois.

Entonces el rey Marco rompió a llorar sin voz. Puso amorosamente en el dedo de Iseo el anillo de esmeraldas que ella le había regalado en señal de alianza; cogió la espada de Tristán, dejando en su lugar la suya, y con un signo de perdón, volvió a buscar su caballo.

Vedle alejarse por el bosque: los ojos sin luz, la barba hundida en el pecho, temblando de dolor las manos.

Bajo la luna blanca, Tristán e Iseo duermen separados por la espada real.

¡Ah, viejo Marco, qué gran caballero! Solo una acción tan bella podía redimirte. Por esta noche de Morois olvidemos la hora cruel en que entregaste tu esposa a los leprosos.

EL CASCABEL ENCANTADO

Cuando el sol de la mañana bajó a sus rostros, los amantes se miraron espantados.

—¡Es el anillo del rey! —dijo Iseo.

—¡Es la espada del rey! —dijo Tristán.

Callaron. Luego se quejó amargamente:

—¿Por qué no nos ha matado? Este remordimiento de nuestro triste amor es cien veces peor que muerte alguna. Separémonos, Iseo. Tu carne delicada no podría resistir más tiempo la dureza del bosque. Ya que nosotros no podemos serlo, sea feliz el rey Marco. Vuelve a su palacio; yo me iré al país de Gales a combatir. Tu imagen me acompañará siempre. Si algún día me necesitas, llámame y correré a tu lado.

Así se separaron los amantes. Tristán se llamaba el héroe; en tristezas nació y solo tristezas tuvo la vida para él.

Y así, separados, Tristán e Iseo dieron al mundo la más bella página de amor de que hay memoria. Escuchadla, señores: es aquella aventura que los antiguos libros llaman «el cascabel encantado».

En el dorado Tintagel, Iseo canta peinando sus cabellos de oro. Pero sus noches son de amargo llanto, soñando siempre con Tristán.

El héroe de Leonís combate lejos, en el país de Gales. Por sus hazañas, por la nobleza de su trato y por su arte maravilloso de trovador, Tristán conquistó el amor de los caballeros galeses y el corazón del rey, que no ahorraba festín ni cacería para divertir al noble extranjero.

Un día, viendo que Tristán suspiraba atormentado de recuerdos, el rey de Gales le invitó a su mesa e hizo traer al banquete a su perro encantado *Petit-Crû*. Era un animal extraño y maravilloso: su cuello parecía más blanco que la nieve, sus patas más verdes que el trébol, uno de los flancos rojo como la escarlata, el otro amarillo como el azafrán, azul su vientre como el lapislázuli, y su lomo como la rosa encendida. Pero a los ojos del que lo contemplaba, los colores mudaban y se cruzaban entre sí, en una danza turnante de rojos y verdes, de blancos y azules, de luz y de sombra, que fascinaba la mirada.

Azafrán: Planta de la que se extrae un condimento amarillo anaranjado.

Lapislázuli: Roca cristalina de color azul oscuro.

Llevaba al cuello, suspendido de una cadena de oro, un cascabel de sonido tan alegre, tan claro y tan dulce, que al oírlo el pecho de Tristán se apaciguó conmovido y la sonrisa apareció en sus labios. Todos sus dolorosos recuerdos desaparecieron en un instante, y con el olvido la felicidad bajó a su corazón. Porque esta era la maravillosa virtud del cascabel: que su sonido borraba del pensamiento todos los recuerdos tristes.

Tristán, emocionado ante tal sortilegio, pensó en seguida en conquistar el cascabel mágico para enviarlo a su amada. «La bella Iseo —se decía el héroe— vive infeliz en Tintagel, atormentada por el recuerdo de nuestro amor. Si yo puedo hacer llegar este cascabel a sus manos, el triste recuerdo desaparecerá y la reina vivirá dichosa».

Entonces habló al rey de Gales, diciendo:

—Si me concedes este cascabel, yo lucharé bajo tus banderas, limpiaré de malhechores tus tierras y arrojaré de tus fronteras a todos tus enemigos.

Grande era el amor del rey por el cascabel encantado. Pero la oferta de Tristán era tentadora, y decidió aceptarla.

Tristán luchó sin descanso hasta cumplir su palabra. Y una vez triunfante, con un juglar de Gales, mandó el cascabel encantado a Cornualles, entregando al emisario su anillo de jaspe verde para que Iseo le reconociera como mensajero de amor.

Jaspe: Piedra preciosa de variados colores.

Llegó el juglar a Tintagel y, presentando su anillo, entregó secretamente a Brangania el cascabel encantado. Iseo recibió el presente de manos de su doncella, y al hacerlo sonar sintió que todas sus penas desaparecían. Desde entonces lo llevaba siempre consigo, y cuando las lágrimas asomaban a sus ojos, el sonido milagroso devolvía la paz a su corazón.

Al principio la reina no comprendía en qué consistía tal maravilla; pero pronto empezó a darse cuenta de que el mágico poder del cascabel consistía en hacer desaparecer todo recuerdo triste. «¡Ah! —pensó la enamorada—. Tristán sufre, mientras yo olvido. Él ha tenido este cascabel en sus manos y ha preferido enviarme a mí la alegría, guardando para sí toda la amargura. No quiero ser feliz así. Tenga yo mis recuerdos, por dolorosos que sean, y sufra mi corazón lo mismo que sufre el corazón de Tristán[13]». Entonces cogió el regalo maravilloso y lo hizo sonar por última vez. Después, por el ventanal abierto, tiró el cascabel al mar.

LA MUERTE

Dos años más han transcurrido. Tristán ha combatido y viajado por países extraños. Ha cazado con sus gerifaltes en España y ha regresado a sus tierras de Leonís. Pero una tristeza infinita le persigue siempre, sin dejar una hora de respiro a su corazón.

Gerifalte: Halcón grande.

Así, triste y solo, buscando altas empresas en que distraer su pena, llegó un día a Bretaña. Allí, con el esfuerzo de su brazo, salvó al conde Kardin, al que tenían sitiado en el castillo sus feudales rebeldes.

Feudales: Vasallos.

Kardin alojó al héroe en su palacio, le colmó de honores y le presentó a su hermana, la más bella de las mujeres bretonas, diciéndole:

—Ved aquí, señor compañero, a mi hermana, que se honrará en llamarse vuestra sierva. Sus manos puras y hábiles en la aguja son cantadas por nuestros poetas, y de ellas recibe su nombre: Iseo, la de las blancas manos.

Tristán sonrió melancólicamente al oír aquel nombre y contempló con ternura a la doncella, que bajaba los ojos ante él. Iseo se llamaba, como la reina que lloraba en Tintagel su desventurado amor.

La nueva Iseo limpiaba las armas del héroe, le ser-

---

[13] El motivo del amor que produce un sufrimiento aceptado de buen grado por el que ama representa uno de los pilares de la poesía amorosa provenzal y su concepto del amor cortés; luego será desarrollado por el poeta italiano Francesco Petrarca (1304-1374) en su *Cancionero* hasta convertirse en tópico literario de proyección universal. Su presencia en *Tristán e Iseo* es otra muestra de la originalidad de esta leyenda.

Cetrería: Caza con
aves de presa como
el halcón, el gavilán
o el azor.

Esclavina: Capa
corta que cubre los
hombros.

Bordón: Bastón con
el mango más alto
que un hombre.

Emponzoñada:
Envenenada.

vía a la mesa y le acompañaba en la cetrería. Su virgen corazón se sentía arrastrado amorosamente hacia Tristán. Él, comprendiéndolo, correspondía a sus palabras lleno de compasiva gratitud; pero su corazón estaba lejos, al lado siempre de la otra Iseo, la de los cabellos de oro.

Varias veces intentó volver a verla; y acompañado de su fiel amigo Kardin, desafiando distancias y peligros, llegó hasta Tintagel, disfrazado una vez con la esclavina y el bordón de los peregrinos, otra con túnica y campanillas de leproso, y otra, finalmente, fingiéndose loco.

Pero estas rápidas visitas al dorado Tintagel no hacían más que agudizar al regreso su tristeza con el nuevo recuerdo de una hora feliz.

Un día, hallándose guerreando en Bretaña, Tristán cayó en una emboscada traidora, y fue mortalmente herido con una lanza emponzoñada. Arrastrándose en medio de horribles sufrimientos, pudo llegar hasta el castillo de Kardin. Los más famosos médicos acudieron a su lado. Iseo, la de las blancas manos, lloraba sobre sus heridas, y todos en el castillo rogaban al cielo por su salvación. Pero Tristán comprendió que su vida se extinguía poco a poco, y llamando a Kardin, pidió hablarle en secreto. Todos se retiraron de la sala. Solamente Iseo, la de las blancas manos, llevada de su amor y su curiosidad, desobedeció la orden, escondiéndose para oír detrás de un tapiz.

—Amigo leal —dijo Tristán—. Siento que voy a morir en tierra extraña, lejos de mi amor. Si la reina Iseo supiera mi desdicha, seguro estoy de que acudiría a mi lado, desafiando todos los peligros; y viéndola mis ojos, moriría feliz. Toma mi barca, amigo, y corre al dorado Tintagel. Di a la reina que jamás he amado a otra mujer sino a ella y que la espero para morir a sus pies. Lleva en tu barca dos velas, una blanca y otra negra. Si la reina escucha mi ruego y viene contigo, iza en el mástil la vela blanca, para que yo lo sepa desde lejos. Pero si la bella Iseo me ha olvidado y no quiere acudir a mi llamada, iza en tu mástil la vela negra.

Así lo prometió Kardin, y aquella misma tarde se hizo a la vela, rumbo a Cornualles.

Iseo, la de las blancas manos, herida de celos al descubrir el secreto de Tristán, lloró amargamente y juró vengarse de su desconocida rival[14].

Al cabo de una semana, Kardin ha llegado frente a las costas de Cornualles y divisa el dorado Tintagel almenado de sinople y azur. Fingiéndose mercader, rodeado de criados cargados de ricas sedas, copas cinceladas, joyas y halcones de caza, llegó hasta el palacio de Iseo. Y mientras mostraba a la reina una púrpura de Oriente, deslizó en su oído el mensaje de Tristán.

Cinceladas: Labradas.

Halcón: La más conocida de las aves de presa.

Iseo palideció al oírle; cerró los ojos para contener el llanto y respondió rápidamente en voz baja:

—Gracias, mensajero; espérame en tu barca al rayar el alba.

Y al amanecer, huyendo entre los pinos de Tintagel, la enamorada llegó a la barca, que inmediatamente izó su vela blanca, enfilando la proa hacia Bretaña.

Tristán languidecía en los largos días de dolor y de esperanza. Las fuerzas le abandonaban por momentos; la fiebre le daba una palidez de hielos encendidos. Solo el recuerdo de Iseo y la esperanza de verla aparecer sostenían sus débiles pulsos.

Dos semanas invirtió la barca en el regreso. Una furiosa tempestad parecía querer impedir que el último consuelo del héroe llegase a tiempo.

Al fin, los malos vientos amainaron, y al tercer día de calma la barca de Kardin apareció a lo lejos con su vela blanca desplegada en el alto mástil.

Iseo, la de las blancas manos, fue la primera en verla aparecer. Entonces —¡Dios la perdone!—, llena

---

[14] Incluso en un personaje tan tierno como el de Iseo la de las blancas manos aparece el sentimiento de la venganza, convertido en uno de los resortes fundamentales de la acción dramática.

de celos, queriendo vengarse del mal que el desdén había hecho a su pobre corazón, corrió a su lado, exclamando:

—¡Albricias, señor! La barca de mi hermano acaba de aparecer en el mar.

Tristán, reuniendo todas sus fuerzas, se incorporó en el lecho. Sus ojos brillaron como dos relámpagos de fiebre.

—¿De qué color trae la vela? —preguntó temblando de esperanza.

—¡Ah, señor, alguna desgracia ha ocurrido a bordo, porque la barca de Kardin navega con velas negras!

Al escuchar estas palabras, Tristán cerró los ojos; dos lágrimas calientes rodaron por su rostro. Sonrió amargamente y dejó caer la cabeza sobre la almohada.

—Me ha olvidado —se le oyó decir como un suspiro.

Y se volvió contra el muro, de espaldas al mar.

Cuando Iseo, la de las blancas manos, arrepentida de sus palabras y angustiada por el largo silencio del héroe, se inclinó sobre su rostro, estaba frío.

Poco después la reina Iseo saltaba a la playa y corría hacia el castillo. A su paso, las gentes bajaban la cabeza, y en las altas torres doblaban tristemente las campanas de Bretaña. «¡Tristán ha muerto!», decían las campanas. «¡Tristán ha muerto!», repetían los hombres, las mujeres y los niños.

La reina Iseo, de rodillas junto al lecho, llora sobre el cuerpo del héroe de Leonís. Llora y reza desesperadamente. Luego, sus sollozos se oyen más débiles. Y más débiles cada vez. Hasta que ya nada se escucha, y los brazos amantes quedan inmóviles y largos sobre el pecho del hombre.

Iseo ha muerto abrazada a Tristán.

Cuando el rey Marco supo la muerte de Tristán e Iseo, él mismo fue a recoger sus cuerpos a Bretaña. En una barca engalanada de flores los trasladó al dorado

Tintagel; y allí, detrás de la capilla, a un lado y otro del
ábside, los mandó enterrar, llorando su desventura.

Por la noche, una hiedra de fuertes retallos y hojas
verdes nació de la tumba de Tristán. Otra semejante
nació al mismo tiempo de la tumba de Iseo. Y trepan-
do por el ábside, ambas fueron a juntarse en lo alto,
enlazando fuertemente sus ramas.

Los criados de palacio cortaron por la mañana aquellas hiedras. Pero a la noche siguiente volvieron a nacer
más fuertes y olorosas, volviendo a abrazarse en lo alto.

Entonces el rey Marco ordenó que la milagrosa hiedra fuera respetada.

Así se cumplía el destino que Tristán e Iseo bebieron en el filtro de amor: amándose siempre, por encima de la vida y de la muerte[15].

Ábside: La parte
situada detrás
del altar mayor
de un templo.

Retallo: Nuevo tallo.

---

[15] Un resumen más amplio de la leyenda se encuentra en *Tristán e Iseo*, versión de Ali-
cia Yllera, Alianza Editorial, Madrid, 2000.

Guillermo Tell

Guillermo Tell es el héroe nacional de Suiza, libertador de su patria en contra de la tiranía de Gessler. La leyenda ha envuelto, embelleciéndola, su figura histórica, objeto de veneración en los pueblos alpinos [1]. Tomamos aquí la versión que del héroe del pueblo ha llevado al teatro el gran poeta alemán Friedrich von Schiller [2].

E NTRE LAS CRESTAS HELADAS DE LOS ALPES, en los prados siempre verdes y húmedos, a orillas de los altos lagos que reflejan la nieve, viven los hombres libres de Suiza. A ellos les llega el sol de la mañana antes que a los pueblos de las tierras bajas. Duro es su vivir entre el hielo y los ventisqueros, pero por nada bajarían a la vida fácil de las llanuras; piensan que la libertad, como la rosa de los Alpes, solo florece en las cumbres y se marchita en el llano.

Sus aldeas, blancas y limpias, se enlazan a través de las montañas por empinados senderos tallados en la roca viva, tendidos con barandales sobre los precipicios, y bordeados de negras cruces de madera en memoria de los viajeros sepultados por la nieve de los aludes.

Barandal: Barandilla.

Alud: Masa de nieve que se derrumba de los montes con violencia.

[1] Esta es la leyenda que sigue de forma más cercana los hechos históricos: Guillermo Tell vivió en el siglo XIV; fue un ballestero excepcional y se le considera el héroe nacional suizo porque su actuación fue decisiva para lograr la independencia del pequeño país centroeuropeo. Los acontecimientos recogidos por Casona siguen con gran fidelidad lo que realmente aconteció.

[2] Friedrich Schiller (1759-1805) fue la gran figura del teatro romántico alemán. Gran defensor de la libertad, en casi todas sus obras aparece una crítica apasionada contra la tiranía: en el caso de su obra más famosa, *Guillermo Tell* (1804), la defensa de la libertad de los montañeses suizos se combina con el ataque a la tiranía, representada por el gobernador Gessler, delegado del emperador de Austria.

Cazan en cumbres tan altas, que sus flechas vuelan sobre las nubes; cantan al son de las esquilas de sus rebaños y aman ante todo la libertad.

Esquila: Cencerro en forma de campana.

Un valiente cazador fue el libertador de Suiza, hace seiscientos años. Nació en el cantón de Uri. Se llamaba Guillermo Tell.

Cantón: Cada una de las divisiones territoriales suizas.

En medio de las altas montañas está el lago verde de los Cuatro Cantones; en sus aguas se reflejan las cumbres heladas y las vacas que pacen la hierba de sus orillas. Comienza el otoño.

Un pescador canta en su barca; los cazadores trepan por las escarpaduras veladas de nubes, y los pastores se alejan con sus ganados, dejando los pastos alpinos hasta que vuelva a cantar el cuco de la primavera.

Escarpadura: Pendiente pronunciada.

Cuando los pastores, cazadores y pescadores se encuentran junto al lago se estrechan las manos como hermanos en el trabajo y juntos lamentan el triste destino de su patria, sometida a la más vergonzosa esclavitud. El gobernador Gessler, que ejerce la tiranía en nombre del emperador de Alemania, insulta a los pobres, pisotea a los humildes, atropella sus derechos, su hacienda y su honra. Y se ríe de los antiguos fueros del pueblo libre. ¡Ay del que se atreva a levantar los ojos delante de él! ¡Ay del que no se arrodille ante sus caprichos y ante la insolencia de sus servidores y amigos!

Fueros: Leyes.

Pastores, cazadores y pescadores, hombres esforzados y humildes de las altas montañas nevadas, ven con desaliento cómo día tras día el yugo del tirano aprieta cada vez más el cuello de su patria. Y se estrechan tristemente las manos en esta oscura tarde de octubre a orillas del lago de los Cuatro Cantones.

La tempestad se anuncia cercando de espesa niebla negra las montañas; los peces saltan en el lago, y los mastines escarban la hierba gruñendo mientras las ovejas se aprietan unas contra otras. Ya empieza a soplar el viento del sur y caen, grandes y frías, las primeras gotas de lluvia.

Mastines: Perros de una raza fuerte, valiente y muy leal.

De pronto un leñador, con el cabello revuelto y los ojos desorbitados de angustia, llega corriendo del bosque y se lanza de rodillas clamando:

—¡En el nombre de Dios, barquero, sálveme! Desamarra tu barca y pásame a la otra orilla. Los jinetes del gobernador me persiguen. Uno de sus criados atropelló mi choza, y mi hacha le ha dado muerte. ¡Sálvame, barquero!

Todos retroceden con espanto ante estas palabras. Un relámpago alumbra los montes y un terrible trueno rueda por los valles. El vendaval se desata, barriendo los desfiladeros, y las aguas del lago se encrespan en negros oleajes.

Desfiladero: Paso estrecho entre montañas.

El barquero mira con angustia al leñador, arrodillado a sus pies, y tiembla ante la tempestad. Las aguas del lago braman ahora como un mar enfurecido, y la noche se adelanta.

—No puedo ayudarte —dice el barquero—. La borrasca volcaría mi bote y las aguas nos tragarían a los dos. Que el cielo te proteja.

El leñador llora desesperado sobre la hierba. A la claridad de los relámpagos se ven aparecer a lo lejos los jinetes del gobernador.

Entonces un nuevo cazador se acerca a la orilla al oír los sollozos desesperados del fugitivo. Trae al brazo una ballesta y el haz de flechas a la espalda. Lleva una gorra de piel, las piernas desnudas y sandalias de cuero con plantas de madera. Los cazadores le reconocen y le saludan con respeto. Es Guillermo Tell, el fuerte cazador de Uri.

—¿Dejarás morir a este hombre —dice Tell— a la orilla misma del lago, que es su salvación? Es un hermano de esclavitud que ha tenido el valor de rebelarse contra los tiranos. ¡Pronto, barquero, desamarra tu barca!

—No puedo, Tell. Tú conoces como yo el remo y el timón, y sabes que nada puede intentarse contra la tempestad furiosa.

—¡Ea, barquero!, los jinetes llegan. El lago sentirá acaso lástima del fugitivo: el gobernador, no. Desatraca tu barca.

Desatracar: Desatar una barca o navío del muelle.

—¡No! Ni por mi hijo lo haría; hoy es el día de san Judas[3] y el lago se enfurece reclamando una víctima, como todos los años.

—Entonces, barquero, en el nombre de Dios, déjame tu barca.

Así dijo Tell el cazador. Y desatando la barca salta a ella con el leñador y empuña en sus manos los remos.

Cuando llegan los jinetes, al verse burlados, descargan su rabia contra los cazadores, atropellan con sus caballos el ganado, incendian furiosos las chozas de los pastores, que huyen llorando entre la tempestad y la noche.

Encrespado: Agitado.

A la luz de los relámpagos, Guillermo Tell rema vigorosamente sobre el lago encrespado y gana la otra orilla.

Todos los días corren por las aldeas de la montaña nuevas desgracias y afrentas. Gessler, el orgulloso gobernador de Uri, ejerce sobre los duros montañeses suizos la tiranía más odiosa en nombre del emperador. Insulta a sus mujeres, incendia sus chozas y arrasa sus haciendas y rebaños. El anciano Mechthal, con las órbitas sangrientas y vacías, recorre las montañas pidiendo venganza: Gessler ha mandado arrancarle los ojos en castigo de una falta cometida por su hijo.

Afrentas: Ofensas.

Órbitas: Cavidades del rostro donde van insertados los ojos.

En la plaza de Altdorf los esbirros del gobernador levantan una lúgubre fortaleza en cuyos calabozos han de dormir eternamente los que no acaten a ciegas la tiranía. Pero con mal agüero se alza la cárcel: al cubrirla, un obrero pierde la vida, desplomándose desde las altas pizarras.

Acaten: Obedezcan.

Mazmorras: Celdas de una prisión.

Las húmedas mazmorras aguardan a los hombres libres. Y para probarlos, Gessler ha ordenado colocar en

[3] San Judas Tadeo fue uno de los doce apóstoles de Cristo; su festividad se celebra tradicionalmente el 28 de noviembre.

la plaza, en la punta de un palo, el sombrero ducal, al que todos deberán saludar respetuosamente, como si fuera el gobernador en persona.

Ante semejante burla, los nobles corazones suizos se llenan de ira y de vergüenza. Pero el no obedecer cuesta la vida, y los escasos transeúntes que se ven forzados a atravesar la plaza, hombres, mujeres y niños, tragándose su sonrojo, se descubren y se inclinan ante el espantajo de la tiranía.

Guillermo Tell está trabajando en su choza de la montaña, cortando leña para el invierno, mientras sus dos hijos, Gualterio y Guillermo, juegan a su lado. Sueñan con ser cazadores famosos como su padre, y se ejercitan alegres en tirar la ballesta.

Espantajo: Persona ridícula y estrafalaria.

Tell deja el hacha, y sentado junto al hogar habla así a su esposa:

—Vergonzosa es la esclavitud de nuestra patria. Los corazones montañeses desbordan de ira y de dolor. Un día estallará en todos los cantones la revolución, y entonces mi arco se unirá a las hachas y picas de mis hermanos. Solo temo por la suerte de nuestros hijos. Gessler me odia no solo porque he salvado a un leñador perseguido por sus jinetes, sino porque le he visto a él, al orgulloso gobernador, temblar en mi presencia. Fue hace unos días; cazaba yo junto a un precipicio, en un despeñadero solitario, y al avanzar por un desfiladero abierto entre los peñascos me encontré al gobernador, que venía solo en dirección contraria. No podía retroceder porque sobre su cabeza se elevaba la roca viva, y abajo, a sus pies, bramaba despeñándose el torrente. Cuando me conoció y me vio avanzar hacia él con mi arco en la mano palideció, temblaron sus rodillas, y comprendí que estaba a punto de caer al precipicio. Entonces me dio lástima de él; le sostuve y le saludé humildemente, siguiendo luego mi camino. Pero ha temblado delante de un hombre del pueblo, y sé que jamás me perdonará esta humillación.

Pica: Lanza larga.

Luego, volviéndose a sus hijos, les dice:

—¡Eh, pequeños!; vuestro padre baja hoy a la ciudad. ¿Quién quiere acompañarle?

En seguida Gualterio deja su juego y corre hacia él.

—Yo iré, padre. Yo quiero andar siempre contigo y aprender a cazar.

Tell se echa sobre los hombros su zamarra de piel, toma su ballesta y emprende el camino con el pequeño Gualterio. La esposa llora en silencio junto al hogar de leña, mientras el otro hijo mira con envidia alejarse a su padre y a su hermano.

En un claro del bosque de Ruti, rodeado de altos ventisqueros, bajo los abetos nevados, se celebra esta noche una extraña asamblea a la luz de la luna.

Por los empinados senderos protegidos con barandales de madera van llegando campesinos, pastores y cazadores de todos los cantones, alumbrándose con antorchas. Cuando se encuentran en el claro del bosque cambian un santo y seña y se estrechan las encallecidas manos en silencio. Son conjurados de todos los pueblos que van a celebrar asamblea con arreglo a sus antiguos fueros para alzarse en rebelión contra el tirano.

Santo y seña: Contraseña.

Fueros: Leyes.

Faltan los conjurados del cantón de Uri, y todos aguardan sobrecogidos de emoción, encendiendo una fogata en medio de la pradera. La ermita del bosque deja oír dos campanadas.

Ermita: Iglesia pequeña.

De pronto una voz exclama gozosa:

—¡Oh mirad! Un feliz augurio. La luna enciende en la niebla un arco iris nocturno. Desde nuestros abuelos no se había vuelto a ver tal maravilla.

Augurio: Presagio.

Todos los ojos contemplan, asombrados de gozo, el signo maravilloso. Bajo el arco de siete colores, tendido sobre el lago, pasa ahora una barca. Son los conjurados de Uri.

Pero el más anhelantemente esperado, Guillermo Tell, el cazador, no viene con ellos. ¿Qué habrá sido de él? Nadie lo sabe.

Los conjurados suman en total treinta y tres. Representan la voluntad de todos los cantones en cuyo nombre han venido, y, con arreglo al ritual de sus abuelos, comienza la asamblea foral en torno a la hoguera. Se colocan en círculo clavando sus armas en el centro. El más anciano los preside y habla con las manos apoyadas en dos espadas.

—¡Hombres libres de todos los cantones, representantes del pueblo! Oíd lo que nos contaron nuestros abuelos. Había antiguamente un gran pueblo en el Norte que padecía hambre cruel. En tal situación resolvieron que la décima parte de sus habitantes abandonase el país en busca de nuevas tierras deshabitadas. Así llegaron los emigrantes, hombres y mujeres, a estas montañas, entonces desiertas. Nuestros bosques de abetos y nuestros lagos helados les recordaron su patria, y aquí decidieron quedarse. Edificaron nuestro viejo castillo, talaron el bosque en torno a los lagos, levantaron sus chozas junto a las fuentes y roturaron la tierra. Así nació un pueblo donde antaño solo habitaban los osos. Ellos extinguieron la raza del dragón venenoso de nuestras lagunas, construyeron a nuestros antepasados. Somos, por tanto, un pueblo libre nacido del trabajo y del esfuerzo. Vosotros, nietos de aquellos héroes, ¿renunciaréis algún día a vuestra santa libertad?

—¡Nunca! —contestan todos levantando la mano derecha.

—Pues bien: Gessler, el gobernador extranjero, no os reconoce como hombres libres; no respeta vuestras leyes ni vuestros sentimientos, usurpa vuestros bienes y os cubre de infamia con sus crueldades. ¿Juráis todos luchar contra la tiranía de Gessler?

—¡Juramos! —vuelven todos a contestar levantando sus manos.

—El gobernador tiene armas y soldados. Nosotros solo tenemos el derecho. Los príncipes y los nobles lucharán con sus brillantes ejércitos contra un pobre

Abeto: Árbol muy corriente en Europa; en las tierras del norte se usa como árbol de navidad.

Roturar: Arar.

Usurpar: Arrebatar.

pueblo desarmado, de campesinos y pastores. Que nadie retroceda ante la muerte. Cuando llegue el momento veréis encenderse hogueras en la cumbre de todos los montes. Acudid todos entonces; derribad las fortalezas y la cárcel de Altdorf; dad vuestra vida por vuestra libertad.

Y luego el anciano, extendiendo sus manos a derecha y a izquierda, clama como un himno:

—¡Queremos ser libres!

Los conjurados lo repiten. Lo repiten por tres veces con las manos en alto y se abrazan. Después se alejan por tres caminos diferentes.

La hoguera se apaga y comienza a amanecer sobre los montes de hielo.

¿Por qué Guillermo Tell, el mejor de los hombres de Uri, no acudió a la asamblea del pueblo? Aquella misma noche el famoso cazador estaba preso, cargado de cadenas, en la fortaleza de Gessler.

Cuando abandonó su choza, camino de la ciudad, el pequeño Gualterio iba a su lado, lleno de orgullo y alegría. Decía el niño:

—¿Es verdad, padre, que los árboles de la montaña sangran cuando se les hiere con el hacha?

Rabadán:
Responsable de
varios pastores y
rebaños.

—Eso dicen los rabadanes. Adoran a los árboles porque son sus protectores; si no fuera por estos árboles, nuestras aldeas serían sepultadas por la nieve de los aludes.

—¿Hay países sin montañas de hielo? —vuelve a decir el niño.

—Sí, hijo mío. Siguiendo el camino del río se llega a una región donde las aguas corren tranquilas; la vista se dilata allí en anchos horizontes, el trigo crece en los campos, y la tierra, templada, parece un perpetuo jardín.

—¿Por qué no dejamos entonces estas montañas y nos vamos a vivir allá?

—La tierra es fértil y el cielo hermoso. Pero aque-

llos hombres no son libres. Su tierra es del obispo y
del rey.

—Pero cazarán en los bosques.

—Sus bosques pertenecen al señor.

—Pero siquiera pescarán en los ríos.

—Los ríos, la mar y la sal son del rey. Los hombres
son criados del rey, que los defiende con su ejército.
Trabajan para el rey y viven miserablemente de lo que
al rey le sobra.

—Siendo así, padre..., mejor vivir en la montaña.
Nosotros somos libres, ¿verdad?

Así hablaban cuando atravesaron la plaza de Altdorf, pasando sin verlo por delante del sombrero ducal
alzado en el palo.

De pronto los centinelas detienen a Tell con sus
lanzas.

—¡Daos preso, en nombre del emperador! Ningún
hombre pasará por delante de ese sombrero sin ren-
dirle homenaje.

Tell se revuelve contra los centinelas, derribándo-
les. El niño llora espantado al verles luchar. De todas
partes acuden hombres y mujeres del pueblo. Una voz
grita:

—¡Plaza al gobernador!

Y Gessler, seguido de su séquito, aparece en la plaza. Va de cacería, con su halcón al puño, en medio de
lujosos pajes y escuderos. Se acerca al grupo, y al en-
terarse de lo sucedido se vuelve al famoso cazador con
una sonrisa cruel:

—¿Sabes, Tell, cómo castigo yo a los rebeldes y a
los traidores? La fortaleza de Altdorf tiene mazmorras
que se honrarán en acogerte para toda la vida. ¿Quién
es ese niño que te acompaña?

—Es mi hijo, señor.

—¿Quieres mucho a tu hijo, Tell?

—Con toda el alma, señor.

—¿Y no te daría pena verlo también en la cárcel, en
un calabozo subterráneo? Pero no tengas miedo, Tell;

Séquito: Personas
que acompañan a
alguien.

Paje: Criado joven.

yo voy darte el medio de salvar a tu hijo. ¿No eres tú el más famoso cazador de los Alpes, que jamás yerra el blanco?

—¡Jamás! —contesta el niño, lleno de noble orgullo—. Mi padre, a cien pasos, derriba una manzana del árbol.

—Bien muchacho. Puesto que tu padre es tan hábil, va a dar una prueba de su destreza aquí delante de todos. Toma tu ballesta, gran cazador, y a ver si a cien pasos aciertas a una manzana en la cabeza de tu hijo.

Ante esta bárbara orden los hombres del pueblo retroceden asombrados. Tell siente flaquear su fuerza y sus ojos se nublan.

—¡Eso nunca! —exclama dejando caer su ballesta—. Prefiero morir.

Gessler, desde su caballo, alcanza una manzana de un árbol.

Plebeyos:
Pertenecientes a la
clase social más
baja.

—Vamos, plebeyos, despejad el sitio. Cuéntense los cien pasos. ¿Por qué tiemblas, Tell? Será para ti una magnífica hazaña. Pero ten cuidado no te tiemble el brazo, no sea que atravieses la cabeza en vez de la manzana.

—¡No tiembles, padre! —grita entonces Gualterio—. Dadme la manzana; yo esperaré sin miedo la flecha.

Tilo: Árbol de flor
blanca.

—Atadle a ese tilo —dice Gessler.

—No, no me atéis. No me moveré, ni pestañearé, ni respiraré siquiera. ¡Tira, padre!

Gualterio ha corrido a ponerse bajo el tilo con la manzana sobre la cabeza. Los hombres aprietan los puños y las mujeres se tapan el rostro llenas de angustia. Gessler mira sonriendo al gran cazador, que está a punto de desplomarse:

—¡Tira, cobarde! Y aprende que solo tiene el derecho de llevar armas el que sabe usarlas.

Entonces Guillermo Tell se recobra. Mira fríamente al gobernador y pide dos flechas. Guarda una en el pecho y pone la otra en el arco. El niño espera sin temblar en medio de un mortal silencio. Tell tensa la cuerda con firmeza, apunta conteniendo la respiración y la flecha salta limpia atravesando la manzana y va a clavarse temblando en el tronco del tilo.

Un murmullo de admiración y de gozo se levanta en todos los pechos, y Gessler se muerde los labios despechado. Tell corre a abrazar al niño, y todo el llanto contenido se le desborda ahora sobre el rostro del hijo.

Despechado: Desmoralizado.

—Está bien —dijo Gessler—. Ha sido un buen tiro. Pero ¿por qué pediste dos flechas?

Tell se vuelve a él mirándole severamente:

—La otra era para ti si hubiera matado a mi hijo. ¡Y esa te juro que no me hubiera fallado!

Por esta respuesta Guillermo Tell ha sido preso y cargado de cadenas. El mismo Gessler le lleva en su barca, abanderada y roja, hacia una lejana fortaleza, donde piensa sepultarle en vida.

Pero una terrible tempestad se desencadena en el lago, y Gessler, fiando más en la habilidad de Tell que en la de sus pilotos, manda desatarle y le entrega el timón.

La tempestad, impulsada por el vendaval del San Gotardo[4], ruge en el estrecho lago como una bestia contra los barrotes de su jaula. El gran cazador conduce la barca a través de las negras olas y con un rápido viraje la acerca a un escollo. Entonces salta con su ballesta a tierra y con el pie da un vigoroso empujón a la barca, que vuelve a internarse en el lago.

De este modo Guillermo Tell se ve nuevamente libre en la montaña. Lleva su ballesta al hombro y en el seno la flecha que guardó ayer al disparar sobre su hijo.

Por espacio de muchos días vaga por los agrestes picachos nevados, rondando de noche su choza, adonde sabe que han de llegar un día los esbirros del gobernador para prender a su esposa y a sus hijos.

Agrestes: Ásperos.

Esbirros: Mercenarios que cometen actos violentos por dinero.

[4] Macizo montañoso de los Alpes suizos.

Entre tanto, Gessler ha logrado salvarse del naufragio y prepara una gran fiesta en su castillo.

Por el camino que conduce al palacio del señor, ¡cuántas gentes diversas pasan todos los días! Allí ponen su planta el mercader y el peregrino, el monje y el *Buhonero:* Vendedor ambulante de chucherías. salteador nocturno y el alegre trovador y el buhonero cargado de baratijas. Pero de todos, ninguno tan extraño como ese cazador que desde un alto matorral vigila hoy el camino. Lleva una gorra de piel, desnudas las piernas, y calza fuertes sandalias de cuero con plantas de madera. En su ballesta solo hay una flecha, y sus ojos no se apartan un momento del camino.

Rabel: Instrumento de la música popular antecedente del violín. Ahora cruza un cortejo nupcial, al son de rabeles pastoriles. Pasan después unos soldados cantando con las lanzas al hombro. Más tarde, una mujer del pueblo, descalza, rodeada de sus hijos, sucios y hambrientos. No puede caminar más y se sienta en un recodo al borde del sendero.

Luego aparece un brillante acompañamiento de pajes y escuderos y un caballero resplandeciente de oros y sedas. Es Gessler, el gobernador.

Al llegar al recodo, la mujer se arrodilla en medio del camino, delante de su caballo.

—¡Justicia, gobernador! Mi marido yace preso en vuestros calabozos sin haber cometido delito. Mis hijos se me mueren de hambre en nuestra choza, sin pan y sin leña. ¡Justicia!

—¡Aparta! —grita Gessler—. Déjame en paz y presenta tu memorial en el castillo.

Memorial: Relación de quejas.

La mujer se inclina de bruces, besando el suelo. Sus hijos se arrodillan a su lado cerrando el paso.

—¡Perdón para mi marido inocente! Pan para mis hijos... ¡Justicia, gobernador!

—¡Aparta! —vuelve a gritar Gessler, iracundo.

Y clavando las espuelas hace encabritar a su caballo, dispuesto a lanzarlo sobre los que lloran de rodillas.

Entonces una flecha, disparada desde lo alto del

matorral, silba en el aire y va a clavarse certera en el corazón del tirano.

Gessler se contrae de dolor y cae derribado hacia atrás sobre el arzón. Con la mano crispada se arranca la flecha y la contempla con sus ojos turbios.

Arzón: Pieza que limita por delante y por detrás la silla de montar a caballo.

—¡Ah, qué bien conozco de quién es esta flecha!

—¡Te la tenía prometida! —exclama Guillermo Tell apareciendo en lo alto del matorral—. ¡Acuérdate, es la que guardé aquel día junto al tilo de Altdorf[5]!

Gessler cae de su caballo y muere en medio de sus criados, que le contemplan sobrecogidos de terror..., sin lástima.

Aquella misma noche en todas las cumbres de los Alpes se levanta el humo de las hogueras dando la señal. Las campanas se echan al vuelo en la sombra. Las fortalezas de la tiranía son arrasadas; saltan en astillas las puertas de las cárceles. Y el alba del nuevo día alumbra a un pueblo libre, de pastores y cazadores, de pescadores y campesinos encallecidos en el trabajo, que se abrazan bendiciendo un nombre libertador: Guillermo Tell.

---

[5] Aunque estamos en una pieza muy fiel a la historia, la venganza (sentimiento primitivo, fuerte y de fácil asimilación por parte de los oyentes) representa el resorte fundamental de la acción dramática, clave para entender su desenlace.

Dioses y gigantes

Los dioses y los gigantes son los protagonistas de las antiguas leyendas escandinavas. De los huesos de los gigantes se hicieron las montañas del mundo. Y los dioses formaron sobre él el alma de los hombres. He aquí una aventura simbólica de los gigantes y dioses del Norte, contada por el gran escritor inglés Thomas Carlyle en su libro Los héroes[1].

THOR, EL DIOS DEL TRUENO, tiene una fuerza colosal, y maneja una formidable maza, a cuyos golpes hace saltar las montañas. Tialfi, su escudero, es el dios del trabajo. Y Loke, su fiel amigo, es el alegre dios de las llamas.

Un día los tres dioses amigos salieron juntos en busca de aventuras, y se encaminaron hacia Utgard, patria de los gigantes, que apacientan como rebaños las montañas de hielo. Llegaron, al fin, después de muchas jornadas, y vagaron largo tiempo por inmensas llanuras y por incultos lugares desiertos, atravesando montes y derribando peñascos, sin encontrar señal de vida en todo el país.

Incultos: No cultivados.

Al oscurecer divisaron una casa semejante a una gran caverna, y como la puerta, que era todo lo ancho de una fachada, estaba abierta, metiéronse dentro y hallaron un gran salón completamente desmantelado y

Caverna: Cueva.

---

[1] Thomas Carlyle (1795-1881) fue el más original historiador inglés del siglo XIX. Contrario al progreso, en sus últimos años pretendió que Inglaterra regresase a un tipo de vida más espiritual. Su obra *Los héroes* (1841) está formada por una serie de biografías de grandes figuras históricas a través de las cuales pretende demostrar la influencia de los personajes egregios en el desarrollo de la humanidad.

desierto. Cobijáronse allí para dormir; pero al cabo de un rato, y cuando más profundo era el silencio de la noche, despertaron sobresaltados oyendo unos extraños ruidos que hacían retumbar los muros.

Thor se levantó de un salto, y enarbolando su formidable maza se plantó dispuesto a descargarla tras el umbral de la puerta. Loke y Tialfi, presas de terror, corrieron a esconderse en un rincón de la destartalada estancia.

Pero Thor no tuvo necesidad de entrar en pelea, porque, a la mañana siguiente, se descubrió que los ruidos extraños de la pasada noche no eran sino los ronquidos de un gigante enorme, aunque pacífico: el gigante Skrimir, que dormía allí mismo. Lo que habían tomado por una caverna no era más que el guante del gigante, tendido en el suelo a su lado; la puerta descomunal era el hueco de la muñeca, y el rincón donde los compañeros de Thor se refugiaron, el dedo pulgar.

Skrimir les saludó con una gran sonrisa al verles, y siguió el viaje con ellos, sirviéndoles de guía y llevando su equipaje. Pero Thor no se fiaba mucho de tan temible compañero, y determinó acabar con él por la noche, cuando se entregara al sueño.

En efecto, aquella noche, en cuanto el gigante comenzó a roncar, Thor levantó su maza y descargó tan tremendo golpe en el rostro de Skrimir, que hubiera partido una montaña. Pero el gigante apenas si salió de su sueño para frotarse la mejilla, diciendo: «¿Ha caído alguna hoja?».

En cuanto volvió a quedarse dormido, Thor descargó sobre su cabeza otro golpe aún más fuerte que el anterior, y el gigante, entreabriendo los ojos de nuevo, volvió a preguntar: «¿Ha caído algún grano de arena?».

A la tercera vez, Thor empuñó su maza con las dos manos, y volteándola en el aire para tomar impulso, descargó un golpe tal, que hizo retumbar la tierra. Esta vez pareció dejar huella en el rostro de Skrimir, el cual cesó de roncar, exclamando: «¿Hay gorriones en este árbol? ¿Qué me han tirado a la cara?».

Al día siguiente prosiguieron su camino, y por la puerta de Utgard, que se pierde entre las nubes, entraron con Skrimir en el jardín de los gigantes, los cuales admitieron a Thor y a sus compañeros a presenciar los juegos que estaban celebrando, invitándoles a tomar parte en ellos.

A Thor le presentaron un enorme cuerno lleno de cerveza para que bebiese, advirtiéndole que entre ellos era costumbre vaciarlo de un solo sorbo. Por tres veces intentó Thor, valientemente, realizar la empresa; pero solo consiguió hacerle disminuir dos dedos.

Cuerno: Instrumento de viento hecho en cuerno de vaca o buey.

—Eres una pobre y débil criatura —le dijeron los gigantes compasivamente—. Ni siquiera serías capaz de levantar ese gato que ves ahí.

A pesar de su fuerza sobrenatural, y por pequeña que pareciera la hazaña, Thor apenas si pudo alzar un poco el espinazo del animal, y a duras penas consiguió levantarle una pata.

—¡Bah! ¿Y tú crees ser un héroe? —le dijeron riendo a coro las gentes de Utgard—. Mira, ahí tienes a una pobre vieja que está dispuesta a luchar contigo.

Rojo de rabia, Thor se abalanzó sobre la vieja; las venas de sus brazos se hinchaban hasta estallar, y rugía como un león. Pero por más esfuerzos que hizo no fue capaz de derribarla.

Al salir de Utgard, Skrimir les acompañó cortésmente un buen trecho. Thor y sus compañeros no se atrevían a levantar la cabeza, llenos de vergüenza. Entonces el gigante dijo, dirigiéndose a Thor:

—Al fin has quedado vencido. Pero no te avergüence tu derrota, porque todo ha sido ilusión de tus sentidos. El cuerno que probaste a agotar de un sorbo era el mismo mar, y, sin embargo, lograste hacerle menguar; pero ¿quién podría beber lo insondable? El gato que probaste a levantar era la Gran Serpiente del mundo, la cual, con la cola en la boca, ciñe y conserva la creación entera; si la hubieras derribado todo se hubiese desplomado en confusión y ruinas. Y, por último,

Insondable: Que no se puede llegar a conocer.

la vieja con quien luchaste era el tiempo, la Eternidad; ¿quién sería capaz de vencer al Tiempo? Ni los hombres, ni los gigantes, ni los dioses. ¡El tiempo es más fuerte que todos! En cuanto a los tres golpes de tu maza..., mira esos tres valles. ¡Los han abierto tus tres martillazos[2].

Dicho esto, el gigante se despidió de ellos y se volvió a su patria. Y Thor y sus compañeros regresaron al palacio de los dioses, sin hablar una palabra, pensando en su misteriosa aventura[3].

---

[2] Destaca en esta leyenda el valor simbólico del número tres, cifra esencial en las creencias míticas y ancestrales: tres estados físicos (sólido, líquido y gaseoso), tres espacios básicos (agua, tierra y aire, o cielo), tres grandes reinos dentro de la Naturaleza (animal, vegetal y mineral), tres personas en la Trinidad (Padre, Hijo y Espíritu Santo), tres líneas como mínimo para cerrar un espacio. Por eso la repetición tres veces de un acto (como aquí o en el cuento de *Las mil y una noches*) es muy propia de la mentalidad primitiva y mágica.

[3] Quizá pudiera encontrarse en la versión que Casona ofrece de esta leyenda cierta influencia de una famosísima novela inglesa: los *Viajes de Gulliver* (1726), de Jonathan Swift, cuyo protagonista pasa una temporada en el país de los gigantes, denominado Brobdingnag, sufriendo experiencias parecidas a las de los tres dioses en esta leyenda.

Orientaciones para el estudio de la obra

PROPUESTA DE ACTIVIDADES

Esta propuesta va acompañada de orientaciones que facilitan su realización y se organiza en tres apartados:

I. Control de lectura: Referido al desarrollo argumental de cada uno de los textos que integran *Flor de Leyendas*. Se trata de actividades sencillas, pues solo pretenden comprobar la lectura de la obra.

II. Estudio de la obra: Consiste en la interpretación y análisis de cada una de las leyendas en sus diferentes aspectos temáticos y formales, pero subrayando los elementos comunes a todas ellas y la intención del autor al elaborar el libro. Supone un acercamiento más profundo al texto de Casona.

III. Actividades de recreación: Una vez leída y analizada la obra, tanto en su conjunto como cada una de sus piezas por separado, se trata ahora de recrear ciertos aspectos relacionándola con otras obras literarias o manifestaciones artísticas (películas, cuadros...) e incluso reescribiendo algunos episodios que tengan mayor interés, tanto en relación con el pasado como por su vigencia actual.

Por falta de tiempo será normal que no se puedan completar todas las actividades. Naturalmente cada profesor conoce bien a sus alumnos, y nadie mejor que él para seleccionar aquellas que convenga hacer en cada caso. No obstante, si lo permitiera el calendario escolar o el nivel de los alumnos, sería de gran interés leer completa alguna de las fuentes literarias (*Guillermo Tell*, el *Cantar de Mio Cid* o la *Canción de Roldán*) para percibir en toda su dimensión la labor de síntesis realizada por Casona.

I. CONTROL DE LECTURA

Lee con detenimiento las «Palabras preliminares».
❏ Resume la intención del autor al componer estas piezas.
❏ Casona divide el conjunto en tres grupos. Señala el criterio que ha seguido para establecer esta distinción.

VILLANCICO Y PASIÓN

Una interpretación personal

❏ Resume el argumento en no más de quince líneas.
❏ Explica el título de la pieza.
❏ ¿Cuál es el detalle que identifica al buen ladrón?
❏ Recuerda el título general del libro: *Flor de leyendas*. Explica cuáles son los elementos legendarios o mágicos que aparecen en esta leyenda.
❏ Señala lo que desde el punto de vista temático y estructural diferencia este texto de todos los demás que componen la obra.
❏ ¿Crees que puede sacarse una moraleja de la obra? En caso afirmativo, sintetízala en una frase.

EL ANILLO DE SAKÚNTALA

Una leyenda hindú

❏ Resume el argumento de la pieza en no más de quince líneas.
❏ Imagínate que esta leyenda no tiene título. Escribe un nuevo título para ella atendiendo al tema principal desarrollado por el autor.
❏ Recuerda el título general del libro: *Flor de leyendas*. Explica cuáles son los elementos legendarios o mágicos que aparecen en esta leyenda.

❑ ¿Por qué detalle reconoce el rey Duchmanta a su hijo?

❑ Señala aquellos rasgos que sitúan la obra en la antigua India.

NALA Y DAMAYANTI

❑ Resume el argumento de la pieza en no más de quince líneas.

❑ Imagínate que esta leyenda no tiene título. Escribe un nuevo título para ella atendiendo al tema principal desarrollado por el autor.

❑ Recuerda el título general del libro: *Flor de leyendas*. Explica cuáles son los elementos legendarios o mágicos que aparecen en esta leyenda.

Alejandro Casona busca inspiración en las fuentes literarias de los grandes ciclos temáticos de la epopeya universal. Así, las literaturas orientales están representadas por episodios de Ramayana, Mahabarata *y* Las mil y una noches. *Pareja comiendo bajo un árbol, en una pintura oriental.*

«Este es el libro de Las mil y una noches, maravillosa colección de cuentos árabes, bizantinos, indios y persas. Los recopilaron los poetas arábigos en honor de Harún-al-Rachid, quinto califa de la dinastía de los Abasíes que reinó en Bagdad». Cubierta de Javier Serrano.

❏ ¿Cuál te parece la razón del castigo para Nala?

❏ ¿Crees que puede sacarse una moraleja de la obra? En caso afirmativo, sintetízala en una frase.

❏ Señala los rasgos comunes que encuentres entre esta leyenda y «El anillo de Sakúntala».

LA MUERTE DEL NIÑO MUNI

❏ Resume el argumento de la pieza en no más de quince líneas.

❏ Imagínate que esta leyenda no tiene título. Escribe un nuevo título para ella atendiendo al tema principal desarrollado por el autor.

❏ Recuerda el título general del libro: *Flor de leyendas*. Explica cuáles son los elementos legendarios o mágicos que aparecen en esta leyenda.

❏ ¿Crees que puede sacarse una moraleja de la obra? En caso afirmativo, sintetízala en una frase.

❏ Señala aquellos rasgos que sitúan la obra en la antigua India.

La leyenda de Balder

❏ Resume el argumento de la pieza en no más de quince líneas.

Una leyenda escandinava

❏ Imagínate que esta leyenda no tiene título. Escribe un nuevo título para ella atendiendo al tema principal desarrollado por el autor.

❏ Recuerda el título general del libro: *Flor de leyendas*. Explica cuáles son los elementos legendarios o mágicos que aparecen en esta leyenda.

❏ Relaciona esta leyenda con una explicación mítica acerca del cambio de las estaciones a lo largo del año.

❏ Señala aquellos rasgos que sitúan la obra en los países escandinavos.

Las mil y una noches

❏ Resume el argumento de la pieza en no más de quince líneas.

El más importante conjunto de cuentos en lengua árabe

❏ Explica las diferencias entre las hermanas Dinarzada y Scherezade.

❏ Imagínate que esta leyenda no tiene título. Escribe un nuevo título para ella atendiendo al tema principal desarrollado por el autor.

❏ Recuerda el título general del libro: *Flor de leyendas*. Explica cuáles son los elementos mágicos que aparecen en esta leyenda.

❑ ¿Crees que puede sacarse una moraleja de la obra? En caso afirmativo, sintetízala en una frase.

❑ Señala aquellos rasgos que sitúan la obra dentro de la civilización musulmana.

LOHENGRIN

El Caballero del Cisne

❑ Resume el argumento de la pieza en no más de quince líneas.

❑ Imagínate que esta leyenda no tiene título. Escribe un nuevo título para ella atendiendo al tema principal desarrollado por el autor.

❑ Recuerda el título general del libro: *Flor de leyendas*. Explica cuáles son los elementos legendarios o mágicos que aparecen en esta leyenda.

❑ ¿Crees que puede sacarse una moraleja de la obra? En caso afirmativo, sintetízala en una frase.

❑ Señala aquellos rasgos que definen la maldad de Ortrudis.

HÉCTOR Y AQUILES

La civilización Griega

❑ Resume el argumento de la pieza en no más de quince líneas.

❑ Imagínate que esta leyenda no tiene título. Escribe un nuevo título para ella atendiendo al tema principal desarrollado por el autor.

❑ ¿Crees que puede sacarse una moraleja de la obra? En caso afirmativo, sintetízala en una frase.

❑ Explica las razones de Aquiles para abandonar primero y regresar luego al combate.

❑ Señala aquellos rasgos que sitúan la obra dentro de la civilización griega.

LOS NIBELUNGOS

❑ Resume el argumento de la obra en no más de quince líneas.

«Los nibelungos es la obra de los primitivos trovadores germánicos; conjunto de leyendas heroicas, donde se mezclan elementos históricos, fantásticos y mitológicos. Su origen se remonta a los comienzos de la Edad Media, época de las emigraciones guerreras sobre el Sur». Ilustración de HOMS para La leyenda de Sigfrido, de «Araluce».

❏ Imagínate que esta leyenda no tiene título. Escribe un nuevo título para ella atendiendo al tema principal desarrollado por el autor.

❏ Explica qué recurso usa Sigfrido para engañar a Brunilda.

❏ Recuerda el título general del libro: *Flor de leyendas*. Explica cuáles son los elementos legendarios o mágicos que aparecen en esta leyenda.

❏ ¿Crees que puede sacarse una moraleja de la obra? En caso afirmativo, sintetízala en una frase.

❏ Señala aquellos rasgos que sitúan la obra en los países germánicos.

EL CANTAR DE ROLDÁN

La épica francesa   ❑ Resume el argumento de la obra en no más de quince líneas.

❑ Imagínate que esta leyenda no tiene título. Escribe un nuevo título para ella atendiendo al tema principal desarrollado por el autor.

❑ Comenta por qué traiciona Ganelón a Roldán.

❑ Recuerda el título general del libro: *Flor de leyendas*. Explica cuáles son los elementos legendarios aquí presentes.

❑ ¿Crees que puede sacarse una moraleja de la obra? En caso afirmativo, sintetízala en una frase.

❑ Señala las referencias a España que hay en el texto.

EL DESTIERRO DE MIO CID

La épica castellana   ❑ Resume el argumento de la obra en no más de quince líneas.

❑ Imagínate que esta leyenda no tiene título. Escribe un nuevo título para ella atendiendo al tema principal desarrollado por el autor.

❑ Trata de contabilizar el tiempo trascurrido desde que el Cid sale de Burgos hasta que conquista Valencia.

❑ Recuerda el título general del libro: *Flor de leyendas*. Explica cuáles son los elementos legendarios aquí presentes.

❑ ¿Crees que puede sacarse una moraleja de la obra? En caso afirmativo, sintetízala en una frase.

❑ Identifica las regiones españolas recorridas por el héroe durante su destierro.

TRISTÁN E ISEO

Una de las leyendas medievales más difundidas   ❑ Resume el argumento de la obra en no más de quince líneas.

❑ Imagínate que esta leyenda no tiene título. Escribe un nuevo título para ella atendiendo al tema principal desarrollado por el autor.

❏ ¿Cuál es la razón principal de la muerte de Tristán?

❏ Recuerda el título general del libro: *Flor de leyendas*. Explica cuáles son los elementos legendarios o mágicos que aparecen en esta leyenda.

❏ ¿Crees que puede sacarse una moraleja de la obra? En caso afirmativo, sintetízala en una frase.

❏ ¿Qué rasgos comunes encuentras entre esta leyenda, la de «Lohengrin» y la de «Los nibelungos»?

Guillermo Tell

❏ Resume el argumento de la obra en no más de quince líneas.

Héroe nacional de Suiza

❏ Imagínate que esta leyenda no tiene título. Escribe un nuevo título para ella atendiendo al tema principal desarrollado por el autor.

❏ ¿Cuál es la otra gran habilidad de Guillermo Tell, además de su destreza con la ballesta?

❏ ¿Crees que puede sacarse una moraleja de la obra? En caso afirmativo, sintetízala en una frase.

❏ Explica los rasgos que diferencian a los hombres de las montañas de los de las tierras del Norte, según las palabras del más anciano de los conjurados.

Dioses y gigantes

❏ Resume el argumento de la pieza en no más de quince líneas.

Leyendas escandinavas

❏ Imagínate que esta leyenda no tiene título. Escribe un nuevo título para ella atendiendo al tema principal desarrollado por el autor.

❏ Recuerda el título general del libro: *Flor de leyendas*. Explica cuáles son los elementos legendarios o mágicos que aparecen en esta leyenda.

❏ ¿Crees que puede sacarse una moraleja de la obra? En caso afirmativo, sintetízala en una frase.

❏ Señala aquellos rasgos que sitúan la obra en los países escandinavos.

II. ESTUDIO DE LA OBRA

El marco histórico-literario

El título del libro, *Flor de leyendas*, se vale de una metáfora muy grata a los modernistas para asimilar la obra literaria a la belleza de la flor: una flor compuesta de leyendas, es decir, de narraciones en ocasiones inspiradas en acontecimientos históricos, pero en las que prevalecen los elementos fantásticos o maravillosos. Por ello no hay en estas piezas —a excepción de *Guillermo Tell*— un intento de reproducir con exactitud un marco histórico concreto, sino de sugerir mediante sutiles pinceladas descriptivas la amplia variedad de ambientes en los que se desarrolla la acción, de modo que sus sencillas historias puedan emocionar a un público universal.

Las fuentes literarias   Todas las leyendas se apoyan en fuentes literarias, pertenecientes a los principales focos culturales de la Antigüedad. Tres leyendas vienen de la literatura india, una de la literatura árabe y otra de la literatura española, y se visitan asimismo las tradiciones germánicas, escandinavas, francesa e inglesa. Por último, la que abre el libro, «Villancico y pasión», se acerca al Nuevo Testamento de la Biblia para reconstruir una leyenda acerca del nacimiento de Cristo.

❑ Identifica las leyendas pertenecientes a cada una de las literaturas antes mencionadas.

❑ Señala en cada obra las expresiones, costumbres, muebles, vestuario o cualquier otro dato que indique su localización en un ámbito cultural concreto.

❑ Vuelve a leer las «Palabras preliminares» de Casona. A continuación, sitúa cada una de las leyendas en cada uno de los tres núcleos establecidos por el autor.

❏ Recoge alguna leyenda popular de tu región o que te cuenten tus abuelos e intenta darle un tratamiento literario culto, al estilo de Casona en este libro.

Temas e ideología

En una entrevista concedida poco después de la publicación de *Flor de Leyendas,* se refería así Casona a su propósito de realizar un resumen de la literatura universal:

«Yo creo que en España nunca se habían abordado las verdaderas exigencias de la literatura infantil con aplicación escolar. Se echaba de menos, a mi entender, los correspondientes españoles de una Selma Lagerlöf, de un James Barrie, de un Rabindranaht Tagore. Aquí la literatura infantil solo se concebía de estas tres maneras: como un pastel insípido y reblandecido, como una antología —algo que no empieza ni acaba— o acogiéndose al fácil recurso de contar argumentos. Al parecer he acertado en mi concepción de que el niño es una entidad tan respetable, que no puede ofrecérsela una seudoliteratura acéfala y amerengada».

En consecuencia con este propósito el autor se acerca a algunas de las más conocidas leyendas de la literatura universal con un criterio en el que destacan algunos rasgos esenciales:

Temas de la literatura universal

1) Fidelidad al original, intentando transmitir al lector una imagen lo más cercana posible del modelo adaptado. En este sentido Casona —pese a escribir un libro de lectura para niños— no elimina de sus piezas motivos argumentales como la traición, la venganza, el engaño, el desafío, la muerte violenta o los amores trágicos, que parecen desterrados de las lecturas infantiles de hoy, tan supeditadas al principio de lo «políticamente correcto».

2) Espíritu heroico, que se manifiesta en la descripción de un mundo idealizado, poblado de personajes admirables —en su bondad y en su maldad— y de una naturaleza poderosa y omnipresente, pintada mediante comparaciones y metáforas de extraordinaria belleza.

«He aquí la antigua leyenda del Caballero del Cisne, que cruzó en su barca encantada todos los caminos del cuento y la novela, la poesía y el teatro». Torneo medieval, *en una miniatura de* El cuento del Santo Grial.

3) Lenguaje muy cuidado, capaz de reproducir tanto los mecanismos de la recitación oral, como el tono elevado que requiere la dimensión heroica de los protagonistas. Por todo ello no encontramos en *Flor de leyendas* la ironía ni el humor verbal ni las situaciones jocosas tan características de las breves piezas teatrales que formaban el *Retablo jovial*.

❏ Escoge la leyenda que más te haya complacido. A continuación, redacta un breve comentario para defender tu elección ante los compañeros.

❏ Casona describe más arriba los tres tipos de literatura infantil que había en su época. ¿Crees que este esquema sigue vigente? En caso afirmativo, cita un título que hayas leído identificable con cada uno de los tres tipos citados.

❑ Subraya dos o tres descripciones de la naturaleza que te hayan parecido especialmente bellas.

❑ Estudia la vida de alguien que te parezca un héroe actual. A continuación, escribe en dos folios su peripecia biográfica con elevado estilo, al modo de estas leyendas.

Los personajes

La literatura de inspiración popular recrea casi siempre unos cuantos personajes típicos, definidos por una serie de rasgos externos (su oficio, lugar de nacimiento, edad o estado civil) que determinan su comportamiento al tiempo que los sitúan muy cerca de la experiencia de los espectadores. Si en el teatro destacan los tipos del soldado fanfarrón, la casada infiel, el viejo celoso y el pueblerino rústico, en las leyendas sobresale el rey, el caballero invencible, la princesa enamorada, el viejo mago o el cortesano traidor.

Los prototipos

En el caso de *Flor de leyendas* se trata de figuras pertenecientes a la clase nobiliaria o caballeresca; sin embargo, frente a la simplicidad de los personajes típicos del teatro popular —cuyo carácter venía marcado por la tradición y apenas evolucionaba a lo largo de la obra— entre los personajes aquí reunidos destacan los que se denominan «personajes complejos», en cuyo comportamiento vacilante e imprevisto aparecen rasgos de gran modernidad. Es el caso del rey Marco, indeciso ante el engaño de su esposa; Aquiles, que abandona el combate para volver solamente con objeto de vengar a Patroclo, o Brunilda, que odia y ama al mismo tiempo a Sigfrido.

❑ Identifica al único protagonista de una leyenda que no pertenece a la nobleza.

❑ Señala y comenta algún otro ejemplo de personaje complejo entre los protagonistas de estas obras.

❑ Fíjate ahora en algún «personaje plano» y resume los rasgos que justifican esta denominación.

❏ De todos los personajes que aquí salen escoge el
que más te gustaría representar y el que peor te caiga. A
continuación, explica con detalle las razones de tu elección.

La estructura

Estructura de la obra

Flor de leyendas, al igual que *Retablo jovial*, es un libro
estructurado en textos menores con plena independencia temática. El conjunto ofrece tres unidades bien defi-
nidas, marcada cada una de ellas con diferente estilo:

1) Las «Palabras preliminares», en las que el Casona
maestro y pedagogo, preocupado por la literatura infantil, expresa de forma académica los propósitos de su
creación.

2) Introducción a cada leyenda: Aquí Casona, enamorado y gran conocedor de la literatura clásica universal, realiza breves guías para introducir al lector en
el fascinante mundo que va a desplegar ante sus ojos. El
tono resulta más cercano, llegando en algún caso a convertirse casi en un anticipo de la leyenda.

3) La propia leyenda o espacio de ficción, en donde
el autor se introduce con toda su capacidad retórica en
cada uno de los textos clásicos para recoger el momento cumbre (duelo entre Héctor y Aquiles en la *Ilíada*), un
precioso resumen de la acción total («Tristán e Iseo»),
un episodio del conjunto («Las mil y una noches») o los
comienzos del héroe («El destierro de Mio Cid»).

La brevedad es otra de las características de estas
piezas, lo que permite que un numeroso público se
familiarice con obras largas o de lectura complicada
(Ramayana, Ilíada, Poema de Mio Cid) a cuyas sutiles o
esporádicas bellezas quizá nunca habría tenido acceso.
Algunas de ellas presentan una estructura de retablo,
que, si en la arquitectura se refiere a un conjunto deco-
rativo único, integrado por distintos cuadros o estatuas
separadas por un marco bien visible, aquí se aplica a la
narración subdividida en unidades sucesivas cuyo título

sintetiza el acontecimiento principal. Es frecuente asimismo la repetición de acciones y de expresiones para facilitar la comprensión de la fábula por parte de un público amplio pendiente de la recitación. Por último, pese a su corta extensión, Casona logra crear en estas piezas momentos muy sugestivos desde el punto de vista narrativo e incluso escenográfico, como el momento en que Roldán expira mirando hacia España para quedar haciendo frente a los infieles, o la salida de Lohengrin luego de que su esposa incumpliera el juramento.

«La Ilíada es el más antiguo poema épico de la literatura universal. Lo compuso, hace tres mil años, un anciano poeta ciego, llamado Homero, gloria de Grecia». Ilustración de Segrelles para la edición de «Araluce».

❑ Señala algunas características en la voz del narrador de las leyendas que diferencian su estilo del de las «Palabras preliminares» y las presentaciones de cada leyenda.

❑ Una de las leyendas carece de la breve introducción del autor; trata de explicar las razones de ello.

❑ En dos de ellas encontramos la estructura de retablo o división en capítulos ¿A qué razón obedece? Contesta con detalle.

❑ Busca en alguna de las piezas reiteraciones argumentales o expresivas como la que hemos mencionado más arriba.

❑ Selecciona de entre todas estas piezas un par de situaciones que te parezcan especialmente conseguidas. A continuación, elige tú otra y trata de dotarla de parecida grandeza mediante un lenguaje elevado o actitudes heroicas por parte de los personajes.

Lenguaje y estilo

Conviene subrayar dos aspectos en el lenguaje de *Flor de leyendas*:

Recursos lingüísticos

1) Los elementos *juglarescos* propios de la literatura épica de trasmisión oral.

Entre los que destacamos:

—utilización del presente histórico para actualizar la narración y de las interrogaciones retóricas para acercarse al auditorio;

—empleo de los epítetos épicos para caracterizar rápidamente a un personaje («el buen Campeador»);

—presencia frecuente de la afectividad del narrador («¡Dios qué gallardamente acomete Roldán!»);

—utilización de fórmulas épicas para facilitar la memorización del poema por parte de los rapsodas o juglares («de largas cabelleras», cuando se nombra a los griegos);

—y, desde el punto de vista sintáctico, el predominio de las oraciones yuxtapuestas.

2) Según la retórica clásica, el *decoro* obligaba a que cada personaje hablara y se comportara conforme a su lugar en la sociedad. Como las leyendas están protagonizadas por dioses, reyes, héroes y princesas, ello exige un lenguaje elaborado, de elevado tono, cuajado de metáforas, sinestesias y comparaciones que embellecen la realidad. Además, Casona emplea un léxico muy rico, adornado con abundantes palabras de época que enriquecen de inmediato la visión del mundo de sus lectores.

Un lenguaje elevado

❏ Comenta las diferencias que encuentres entre el lenguaje de las «Palabras preliminares», las presentaciones y las propias leyendas.

❏ Identifica ejemplos de cada uno de los recursos juglarescos enumerados anteriormente.

❏ Comenta la metáfora y la comparación que te haya parecido más bella dentro de las leyendas.

❏ Explica las razones por las que en «El destierro de Mio Cid» se encuentran más recursos lingüísticos que en cualquiera de las otras leyendas.

III. ACTIVIDADES DE RECREACIÓN

EL ANILLO DE SAKÚNTALA

El anillo de Polícrates ❏ Busca en la biblioteca de tu colegio o Instituto los *Libros de la Historia* de Heródoto; con la ayuda de tu profesor localiza la historia del anillo de Polícrates. A continuación, resume su desenlace y compáralo con la leyenda de Sakúntala.

NALA Y DAMAYANTI

❏ El capítulo XXIV de la historia (cuando se produce por fin el encuentro de los enamorados) pudo servir de modelo para el rey Salomón, a quien se atribuye la autoría del *Cantar de los Cantares* en la Biblia, y para san Juan de la Cruz en el *Cántico Espiritual*. Lee cualquiera de las textos anteriormente citados. A continuación, inspírate en él para describir la escena con tus propias palabras.

Historias de amor ❏ Las historias de amor de procedencia hindú (como esta o como «El anillo de Sakúntala») presentan un desarrollo y desenlace muy diferente a los de las bretonas y germánicas: «Los nibelungos», «Tristán e Iseo», «Lohengrin». Explica con cierto detalle cuál de los dos tipos se acerca más a tu sensibilidad.

LA MUERTE DEL NIÑO MUNI

❏ ¿Te parece justo el castigo aplicado al rey Dasaratha? Justifica la respuesta.

La elegía ❏ En la Edad Media occidental la elegía constaba de tres elementos principales: reflexiones acerca de la muerte, lamento de los supervivientes y elogio del difunto. Trata de identificar alguno de ellos en las palabras del padre del protagonista.

❏ La poesía española e hispanoamericana ha dado lugar a algunas elegías magistrales: *Llanto por la muerte de Ignacio Sánchez Mejías*, de García Lorca. *Elegía a Ramón Sijé*, de Miguel Hernández; *Alberto Rojas Jiménez viene volando*, de Pablo Neruda y la primera de todas, las *Coplas* de Jorge Manrique. Lee con detenimiento cualquiera de ellas. A continuación, anota las analogías y diferencias que encuentres con las palabras del Muni ante el cuerpo de su hijo.

❏ Lee en algún periódico los comentarios publicados con motivo de la muerte de algún personaje famoso: escritor, político, deportista, cantante o científico. Con esos datos elabora un elogio fúnebre sobre él.

LAS MIL Y UNA NOCHES

❏ Consulta alguna versión de este libro y lee dos o tres noches seguidas. A continuación, señala la diferencia estructural más importante que encuentras con respecto a la labor de Casona.

❏ Comenta la presencia de repeticiones en el argumento de esta leyenda.

❏ Busca en la Biblia *(Éxodo* 2) la historia de la infancia y juventud de Moisés. A continuación, compárala con la de los tres príncipes de este texto. *La Biblia*

❏ El cineasta italiano Pier Paolo Pasolini rodó en 1974 una original adaptación de algunos cuentos de «Las mil y una noches». Intenta ver la película para comentar luego su modo de adaptar la obra en comparación con el de Alejandro Casona. *Pier Paolo Pasolini*

LOHENGRIN

❏ Busca en alguna enciclopedia, en algún diccionario de mitología, o en la ópera *Parsifal* de Wagner, datos sobre la figura de Parsifal, padre de Lohengrin. A continuación, resume por escrito su leyenda. *Richard Wagner*

❏ Escucha el Preludio al acto III de *Lohengrin*, de Wagner (se trata de la introducción a la escena en la que el caballero y Elsa son acompañados en procesión a la cámara nupcial). A continuación, trata de expresar las sensaciones que te produce esta música.

❑ Escribe una nueva versión de la leyenda de Lohengrin, el caballero desconocido, adaptada a la época actual y ambientada en tu propia ciudad.

HÉCTOR Y AQUILES

❑ ¿Cuál de los dos héroes protagonistas te resulta más simpático? Justifica la respuesta.

El combate entre dos héroes

❑ Describe el combate final entre el gran héroe griego y el mejor guerrero troyano como si fuera en duelo deportivo entre dos grandes campeones de tu deporte preferido.

❑ Analiza la figura de Ulises tal como aparece en esta leyenda de Casona.

❑ Los poemas posteriores del ciclo homérico cuentan la muerte de Aquiles. Consulta cualquier diccionario de mitología y, a continuación, resume el final de este héroe.

LOS NIBELUNGOS

❑ Establece analogías y diferencias entre la pareja formada por Sigfrido y Brunilda y la compuesta por Tristán e Iseo, cuyos amores se relatan en otra de las leyendas de este libro.

❑ Imagina y relata por escrito otro final para los amores de Sigfrido y Brunilda.

La valquiria de Richard Wagner

❑ Escucha el Preludio orquestal al acto III de *La valquiria*, de Wagner (se trata de una impresionante pieza llena de furia salvaje conocida como «La cabalgata de las valquirias»). A continuación, intenta expresar por escrito cómo te imaginas a estas legendarias mujeres.

❑ Al final de *El crepúsculo de los Dioses* incluye Wagner una pieza titulada «Marcha fúnebre de Sigfrido», donde sintetiza su visión de la muerte y los motivos principales desarrollados en su versión musical de la leyenda de los nibelungos. Resume por escrito las sensaciones que te produce esta música.

El Cantar de Roldán

❑ Señala algunas exageraciones e inverosimilitudes presentes en esta adaptación de *La canción de Roldán*.   *Leyenda e Historia*

❑ En un libro de esta misma colección, *Selección nueva de romances viejos* (n.º5), aparece el «Romance de doña Alda»; léelo y comenta su relación con la leyenda de Roldán.

❑ Compara las figuras de Roldán y el Cid, tanto en lo referente a su personalidad como a sus trayectorias vitales.

El destierro de Mio Cid

❑ Completa la heroica biografía del Cid leyendo el resumen argumental del cantar de gesta, así como una   *Leyenda e Historia*
obra de teatro clásica que recrea su juventud: *Las mocedades del Cid*, de Guillén de Castro, discípulo de Lope de Vega.

❑ Descubre versos y asonancias en la narración del destierro del Cid.

❑ Lee el romance de «La jura de Santa Gadea» (también recogido en *Selección nueva de romances viejos*). A continuación, subraya las expresiones del texto medieval que Casona ha incorporado en la leyenda.

❑ Localiza en un mapa las localidades conquistadas por el Cid para trazar su recorrido desde Burgos a Valencia.

Tristán e Iseo

❑ En esta obra se plantean dos temas que gozarán de extraordinaria fortuna en la literatura posterior: el   *El adulterio
y el amor loco*
adulterio y el amor loco, que desafía todas las convenciones sociales y acaba destruyendo a los enamorados. El primero de ellos ya aparecía tratado en tono jocoso por Casona en el *Retablo jovial* (publicado en esta misma colección), en concreto en la «Farsa del cornudo apaleado». Lee esta breve pieza y, a continuación, compara su planteamiento y desenlace con la leyenda de Tristán.

❑ En *Flor nueva de romances viejos,* de Ramón Menéndez Pidal, hay un romance titulado «Tristán e Iseo». Léelo; luego señala en la leyenda de Casona el episodio *Romances y lais* reproducido en el poema tradicional castellano. A continuación, lleva a cabo el mismo ejercicio tras la lectura del *lai* de María de Francia titulado *Madreselva* (puedes encontrarlo en *Los lais,* María de Francia, Barcelona, Sirmio, 1993).

Cine ❑ El tema del adulterio o del triángulo amoroso se desarrolla en una interminable lista de películas. Te recuerdo solo tres de ellas de muy diferente estilo: *La mujer de al lado,* de François Truffaut; *Annie Hall,* de Woody Allen; y *Los puentes de Madison,* de Clint Eastwood. Procura ver alguna de ellas; luego inventa tú una breve historia con este tema, ambientada en nuestros días.

Ópera ❑ Solicita en el Departamento de música de tu centro de enseñanza la ópera de Wagner *Tristán e Isolda.* Escucha el fragmento titulado «Preludio y muerte de Isolda». ¿Crees que el músico ha logrado transmitir el espíritu de la leyenda? Justifica la respuesta.

GLOSARIO DE FIGURAS LITERARIAS ANOTADAS EN LA OBRA

Anáfora: Reiteración de una o más palabras al comienzo de una frase o verso; a menudo se combina con el paralelismo: «Ha caminado largos días y largas noches por las montañas [...]; ha visto los antros siniestros [...]. Ha atravesado ríos y lagos. Ha sido atacada por las serpientes» («Nala y Damayanti», págs. 58-59).

Anagnórisis: Con esta palabra griega que significa reconocimiento se designa un recurso muy típico de las literaturas clásicas por el que algún personaje era reconocido por los demás, produciendo gran sorpresa, el máximo efectismo y precipitando el desenlace del conflicto. Esto es lo que ocurre al final de «El anillo de Sakúntala», cuando el rey Duchmanta reconoce a madre e hijo (pág. 92).

Anticlímax: Lo contrario del clímax, es decir, la culminación de la tensión descendente; así ocurre en las últimas líneas de «Nala y Damayanti», cuando los dos protagonistas se reencuentran y viven felices durante largos años (pág. 63).

Clímax: Punto de máxima tensión dramática o retórica en una obra. En «Lohengrin» se produce al final, cuando el cisne que arrastraba la barca del caballero se convierte en el príncipe Godofredo delante de toda la corte, mientras el héroe cae de rodillas (pág. 103).

Comparación: Relación de parecido que se establece por medio de un nexo entre algo real y algo imaginado. En «El anillo de Sakúntala» se dice que «las lágrimas del amor marchitan sus mejillas como dos jazmines regados con agua hirviendo» (pág. 46).

Elegía: Subgénero poético cuyo tema fundamental es la expresión de la tristeza por la muerte de una persona. En la Edad Media occidental constaba de tres elementos principales: reflexiones acerca de la muerte, lamento de los supervivientes y elogio del difunto. Al final de «La muerte del niño Muni» el padre del protagonista pronuncia una elegía muy bella cuando descubre el cadáver del hijo a la orilla del río (pág. 69).

Epíteto épico: Rasgo del lenguaje de la epopeya y los cantares de gesta que servía para caracterizar rápidamente a un personaje, lugar u objeto; así, en la *Ilíada:* «la bella Helena», «negra sangre», «afiladas lanzas»; por su parte, el Cid es «el buen Campeador»...

Fórmulas épicas: Entre los rasgos del lenguaje épico destacaba el uso de fórmulas fijas que facilitaban la memorización del poema por parte de los rapsodas o juglares: «de largas cabelleras» y «rey de hombres» se repetirán con mucha frecuencia cuando se nombre a los griegos o a Agamenón en la *Ilíada*; por su parte, el Cid es «el que en buen hora nació»; y doña Jimena, «la mi mujer tan cumplida»...

Hipérbole: Exageración en el engrandecimiento o denigración de algo. Véase la descripción del ataque de Héctor: «Nadie podía resistir su empuje, semejante al del huracán en el bosques [...]» («Héctor y Aquiles», pág. 109).

Interrogación retórica: Pregunta con la que no se pretende indagar, sino resaltar con énfasis algo de lo que el emisor ya está seguro; en la poesía narrativa de trasmisión oral sirve además para acercarse al auditorio. En «Tristán e Iseo» pregunta el narrador: «¿Quién no recuerda las blancas armas y el penacho rojo del caballero?» (pág. 171).

Metáfora: Identificación o sustitución de un objeto real por otro imaginario que guarda con aquel ciertas semejanzas: «[...] sácame esta flecha que me quema las entrañas; que no muera yo con esta serpiente metida en mi carne» («La muerte del niño Muni», pág. 67).

Personificación: Atribución de cualidades humanas a animales o seres inanimados: «El viento, en vez de aullar al enredar sus cabellos en las ramas, les susurraba algo urgente y sigiloso como una consigna [...]» («Villancico y pasión», pág. 37).

Retrospección: Alteración del orden cronológico lineal para volver a acontecimientos ocurridos en un tiempo anterior. Un ejemplo muy claro lo encontramos en «La muerte del niño Muni», porque para explicar la ausencia de su hijo Rama, el rey Dasaratha recuerda una historia sucedida mucho tiempo atrás.

Sinestesia: Recurso poético que consiste en atribuir una sensación a un sentido que no le corresponde: «su silencio era blanco y frío como ella» («La leyenda de Balder», pág. 79).